JN024102

東京大学
教養学部 編
知のフィールドガイド

生命の根源を見つめる

白水社

知のフィールドガイド

生命の根源を見つめる

知のフィールドガイド

生命の根源を見つめる

目次

III

生命の行方をたずねる

創造の原動力

東京大学教養学部社会連携委員会委員長
新井宗仁

　価値観が多様化し、流動性を増している現代においては、直面するさまざまな課題への対応策を見出すことは難しい。複雑化した問題の解決には、ひとつの立場からのアプローチだけでなく、多角的な視点からの対応が必要となる。それゆえ、幅広い知識をもつことが大切だが、頼みの綱となるはずの学問も複雑化しており、なにを知るべきかを見定めるのも困難である。また、たとえ広範な知識を有していたとしても、それらを有機的に結び付けて、課題解決に活かせる「知」として構造化し、使いこなしていくことは容易ではない。

　このような状況下で必要となるのが「教養」であろう。現代に求められる教養とは、見通し良く整理された知識と、それらを活用できる能力のことである。あるいは、社会科学、人文科学、自然科学といった学問を体系化して学び、問題に応じてそれらを柔軟に組み合わせることのできる能力である。こうした能力を身につけることができれば、人工知能にも解決できないような困難な課題に直面しても、それを解決するための新たなアイデアを生み出すことができるだろう。つまり教養とは、創造を生み出す原動力ともいえる。

　こうした意味での教養を身につけるためには、さまざまな学問

分野を分け隔てなく学ぼうとする姿勢が大切である。だが、社会科学や人文科学といったいわゆる文系的な学問と、自然科学などの理系的な学問のあいだには、両者を隔てる高い壁があると思われがちだ。しかし、両方の学問を習得することはそんなに難しくはない。好き嫌いをせず、先入観を捨てて素直になり、それぞれの分野の中に取り込まれてみればよい。はじめはその分野特有の「言葉」がわからずに戸惑うかもしれないが、その分野の考え方にどっぷりとつかっているうちに、それらの言葉の意味に気づくときが来る。するとそこには、新たな発見や、初めて知る喜びが満ち溢れているだろう。食わず嫌いだったとうれしくなるだろう。教養を学ぶことは、人生の宝探しでもあるのだ。

　そしてしばらくしたら冷静になって、他の分野との相違点と類似点を考えてみるとよい。各分野それぞれに独特な点を捉えることは、その分野の本質的な理解に必要不可欠である。それと同時に、複数の分野における共通点を探し出すことは、知識を繋ぎ合わせて体系化し、多角的な視点から物事を捉えるうえでの基礎となる。

　素直になって取り込まれ、冷静になって脱却し、全体を俯瞰する。これを繰り返していく。壁の両側に広がる異分野の地平を、壁よりもさらに高い場所から見渡せば、両者を隔てる壁はもはやない。分野の連結・統合や、総合的な知の獲得も可能だろう。論理的思考力という武器さえ身につければ、どんな分野でも、縦横無尽に駆け巡ることができるのである。そしてこのような姿勢は、多様性を規範とする現代社会をより豊かにするうえでも重要であろう。

　さらに、時代の流れとともに、新たな社会問題の出現や学問の

発展があり、それによって必要となる知も変わっていく。そのため、最先端の教養を常に追い求めていく姿勢も大切である。

　本書『知のフィールドガイド』は、このような論理的思考力と先端的教養を身につけるうえでのトレーニングとして最適である。本書には、東京大学の教員による「最先端研究に基づく教養教育」の内容がわかりやすく書かれている。教養の入門書でありながら、多様な分野における先端的教養までもが散りばめられているのが特徴だ。また、直面した課題に対して多角的な視点で取り組み、分野の融合や新たなアイデアの創出によって問題を解決していく事例を、数多く見つけることができるであろう。

　『知のフィールドガイド 異なる声に耳を澄ませる』と『知のフィールドガイド 生命の根源を見つめる』はそれぞれ文系と理系の内容であり、既刊の『知のフィールドガイド 分断された時代を生きる』（文系）と『知のフィールドガイド 科学の最前線を歩く』（理系）の続編にあたる。文系と理系に分かれているのは便宜上の理由だけであり、先入観を捨てて、文理を分けずに読むことをお勧めしたい。

　また、将来に悩む若者は、これらの本を手に取り、自分には興味がないと思う分野の内容こそを、ぜひ読んでみてほしい。そして自分が一番気に入る分野を探してみるとよいだろう。思いがけない出会いが人生の選択を大きく変え、未来が一瞬にして広がっていくような体験ができるかもしれない。

技術を社会へ

いきモノづくりへの挑戦

竹内昌治

....

小さな機械づくりから、いきモノづくりへ

　私の専門は「小さな機械」をつくること。英語ではMEMS（Micro Electro Mechanical Systems、メムス）技術と呼ばれている。例えば、スマートフォンやパソコンの中にも入っているICチップ。チップの中には電気回路が組み込まれているが、その配線は、いまやナノメートルの精度で加工することができる。このような超微細な回路を製作する技術を応用して、動く機械システムをつくるのが、MEMS技術であり、現在、いろいろな産業に応用されている。例えば、小型プロジェクタの内部にMEMS技術でつくった光ミラーがある。これにより小さくても高輝度で投影することができるようになった。スマホの中には、姿勢を検知するための加速度センサが入っている。自動車には、車内の環境を検出したり、エアバッグが駆動するためのセンサなど、たくさんのMEMSが入っている。産業としては、現在、約1.5兆円の産業に発展してきている。

　では、我々研究者はこれから何をすべきか。すでに成熟してきた技術をさらに発展させていかなければならない。そこで、我々のグループでは、いままで使われていなかった材料に注目したモ

ノづくりに取り組んでいる。これまでMEMSに使われていた材料は、半導体やプラスチック、あるいは金属などの人工物だったが、我々は、細胞やDNA、タンパク質といった生体材料を扱うモノづくりに挑戦している。すなわち生き物を使ったモノづくり、「いきモノづくり」だ。

　MEMS技術は、髪の毛の直径（100μm）、あるいはその10分の1ぐらいのサイズの物体の加工や操作を得意としている。一方、我々の体の中にある細胞のサイズも、およそ10μmぐらい。このサイズの細胞が私たちの体の中には、およそ37兆個あるといわれているが、それらひとつひとつを扱い、モノづくりの材料として応用することができれば、生体機能を持つ立体組織ができあがり、再生医療や創薬、あるいは環境センシング、食品や化粧品産業など様々な分野に応用することができるのではないかと考えた。

細胞を使ったモノづくり

　細胞をモノづくりの材料としてとらえようとしても、それらは機械で扱う「部品」とはかけ離れている。ベトベトして、変形するし、どれひとつとして同じ形をしていない。つまり、機械部品としては、非常に扱いにくい材料である。そこで、機械工学的に細胞を扱うには、まずは我々が慣れているネジとかバネなどのような規格化された機械部品と同じように加工していこうではないかと考えた。扱い易い部品として細胞を加工し、ひとつひとつ組み上げていくことができれば、細胞でもいろいろな形ができるのではないか。これが、我々が最初に挑戦した「いきモノづくり」

のひとつ、「細胞を使ったモノづくり」の基本的な考え方だ。

　ただ実際、細胞でネジやバネの形状をつくっても、意味はない。そこで、まずは汎用性のある基本的な部品形状としては、どういうものが考えられるか調べることにした。

　いろいろな形がつくれる玩具として、レゴ社のブロックが有名だ。レゴブロック[*1]を使うと、複雑な機構をつくることができる。実は、これらのブロックを分類してみると、点型と線型と面型の3種類に分けることができる。すなわち、ほとんどのモノは点と線と面のブロックがあれば、効率的に組み上げることができるのだ。この考えは、「細胞を使ったモノづくり」でも応用できる。すなわち、細胞で点、線、面形状に規格化された組織をつくれば、それらを組み合わせることによって、いろいろな形の立体組織ができると考えた。

点

　まずは「点」について説明しよう。点形状の組織をつくる方法は、いろいろあるが、ここではマイクロ流体デバイス技術という微小な流路を使う技術を応用してつくることにした。微小流路の中で水と油を混ぜると、小さな水玉がきれいにでき上がる。流量をうまくコントロールすると、直径約100μm（0.1mm）程度に揃った水玉を大量につくることができる（図1a）。

　これを点形状の組織づくりに応用した。まずは水玉の中に細胞と相性のいいコラーゲンを入れる。コラーゲンの溶液で水玉をつくった後に温度を高めると、ゼリー状になり、コラーゲンのゲルビーズができる。コラーゲンは細胞との相性が非常にいいので、細胞を培養している液の中に、このコラーゲンビーズを入れてク

ルクル培養しておくと、30分ぐらいでコラーゲンビーズの周り
に細胞が接着してくれる（図１ｂ）。さらに培養し続けると、表面
に接着した細胞が増殖・遊走を繰り返して、コラーゲンビーズの
中にどんどん入っていく。こうして、１日もすれば、細胞ででき
た点型のブロックができ上がる。

　この「点」をベースに立体組織ができないか考えた。点を使っ
たものづくりというと、粒子を鋳型（モールド）に詰めて固める成
型技術が有名である。そこで、図１ｃのように鋳型を用意して、
細胞でつくったビーズ（細胞ビーズ）を入れてみた。その後、培養
し続けると、ビーズ表面の細胞同士がくっつき、立体的な組織が
およそ24時間でできあがった。

　図１ｄは、小型の鋳型の中に、約10万個の細胞ビーズを入れ、
24時間後に取り出したときの画像だ。ミリメートルサイズに形
状を加工して組織をつくり上げるのはなかなか難しかったが、こ
の方法を用いることで、短時間で、思った形状に立体組織をつく
り上げることができるようになった。

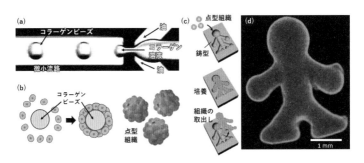

図１　(a) 微小流路にコラーゲン水溶液と油を流し、均一直径のコラーゲンビーズをつくる。(b) コ
ラーゲンビーズに細胞を播種し、点型組織をつくる。(c) 点型組織を鋳型成形し立体組織を高
速に形成する。(d) 作製した立体組織。24時間で形状が制御されたミリからセンチメートル
スケールの組織を形成できる。

線

　我々の体の中には、血管や神経、骨など、「線」型の組織が多く見られる。したがって「線」型の細胞ブロックをつくると、いろいろな線形状の組織をつくることができる。また、「線」はそれだけで様々なビルディングブロックになる。「線」を使ったものづくりは、かつて日本が得意とした繊維産業から様々な工夫が生まれている。例えば、編む、束ねる、あるいはクルクル回してチューブ型をつくるなど、線だけでいろいろな高次構造が形成できることが知られている。

　では、線型の組織をどうやってつくるか。これも「点」のときと同様に微小流路を使うことにした。ガラス管を縦に直列に並べると図2aのような流路ができ、水を流すと同心円状の層流を簡単につくることができる。その層流の一番中心に、細胞とコラーゲンゲルを流す。その流れの外側の層にはアルギン酸ナトリウムの溶液を流す。アルギン酸ナトリウムがカルシウムのイオンと結合すると、一瞬のうちにゼリー状に固まり、内部に細胞をカプセル化した長細いファイバー（細胞ファイバー）として流路から放出される。このファイバー内の細胞を70時間ほど連続して観察すると、細胞が分裂・遊走を繰り返し、細胞同士がコンタクトしてひとつの紐状の組織ができることが分かった。この方法を使って、様々な線維状組織をつくることに挑戦している。

　まずは、神経。神経の幹細胞は、培養後2週間ぐらいで神経細胞や周辺を囲むグリア細胞になるが、ファイバーの中に入れても、同様に分化した（図2b）。神経細胞は培養していると長い軸索を延ばすのだが、おもしろいことに、その軸索の方向がファイバーと同じ方向に揃うことが分かった。そのようなファイバーを

つくれば、組織の異なる地点を神経でつなぐ移植片などに使えるのではないかと考えている。

ファイバーの中の組織の直径は約100μmで、髪の毛の直径と同じぐらいのサイズである。このくらいの厚さであれば、養分が外側から中側まで浸透するので、組織内部に血管構造を設けなくても、長期培養することができる。上記の神経ファイバーは2年間培養しても生存していることが分かった。

また、線を代表する組織として、血管がある。血管内皮細胞を入れると、ファイバーの中できれいな中空構造を形成する（図2c）。これを使うと、長い血管をつくることができる。その表面を見てみると、血管特有の敷石状のパターンを観察することができた。

ファイバーはそれ自体でいろいろな操作ができる。例えば、チューブを使いファイバーを吸引する。そして吐き出す。これらを組み合わせる（吐き出して吸う）と、ファイバーを引き延ばして、丁寧に観察することができる。

ファイバーをつくった直後は、液中で「もずく」のように絡まっているが、先端を吸引すると、1本に引き延ばされてチューブの中に導入され、この状態で保存できたり、搬送することができる。ユーザーが使いたいときに使いたい分だけを切り取り、簡単に線維状の組織を使うことができる。

ファイバーを使った究極のものづくりは編み込みだ。織機を使えば、布のような形状もできる。専用の織機をつくり、そこに縦糸と横糸を取り付け、ゆっくり上げ下げしながら織ったり、そこから着物のようなさらに高次構造を形成することもできた（図2d, e）。一般的に、細胞はベトベトしているし、形も様々で、非

常に扱いにくい材料であるが、ファイバーという形に加工することによって工学的に扱いやすくなることが示せた。

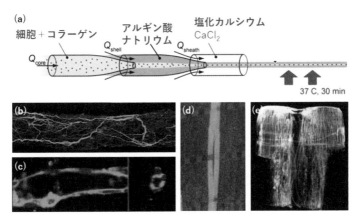

図2　(a)線型組織を形成するための微小流路。細胞が内包されたアルギン酸カルシウムのファイバーを高速に形成できる。ファイバー内で形成された(b)神経組織と(c)血管組織。このファイバーを用いた(d)編み込み構造と、そこから織った(e)着物構造。

面

　「面」形状の組織をつくるのは、意外に簡単だ。通常、細胞はフラットなシャーレの上で培養する。そのような平面上に培養された組織を積層することで、厚みのある面型の組織をつくり込むことができる。

　例えば、現在は筋肉の組織を面でつくることに挑戦している。幅広な溝をつくり、その溝の中にゲルに混ざった細胞を入れておくと、たくさん細胞が閉じ込められた羊羹のようなゲルができあがる。このゲルの中で細胞は増殖したり遊走することができる。筋肉では、多核化といって細胞同士が融合してひとつの線維になるのだが、このゲルの中でも線維形成を観察することができた。

このようなシート状の組織を何枚かつくって、重ねていくと分厚い筋組織をつくることができることが分かった(図3a)。

　筋肉は、培養し続けると、自分自身が短くなる方向に力を発生するが、図3aのような剣山型のアンカーに固定することによって、長さを保ったまま、面型の筋組織をつくることができる。

　できあがった組織が筋組織であることを確かめるためには、筋肉の代表的な機能である収縮能を見なくてはいけない。そこで、専用の装置をつくり、電気刺激を与えると、筋組織を収縮させることができた。この方法を使えば、立体構造のいろいろな部位に筋組織をつくり込むことができる。図3bは三次元プリンタでつくった骨組みに骨格筋組織を組み込んだ指型ロボットである。各筋組織を電気刺激することによって、動かすことができた。立体的な筋組織をつくって空間的に配置することは、なかなか難しいが、ここでは面構造をつくり込むことによって、いろいろなところに配置することができるようになり、指型ロボットの動きが実現した。

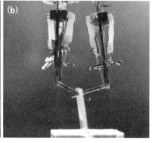

図3　(a)面型組織を積層して作製した立体筋組織。左右のアンカー構造によって組織の長さが保たれている。(b)立体筋組織を三次元プリンタでつくった骨組構造の両側に取り付けた拮抗筋アクチュエータをもつ指型ロボット。電気刺激によって収縮し、指を左右に動かすことで物体を持ち上げることができた。

「点」と「線」と「面」のものづくりの先に

　では、これらのブロックを組み合わせるとどんなことができる
のか。我々の描いているちょっとした夢をご紹介したい（図4）。

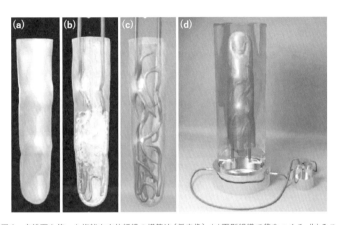

図4　点線面を使った複雑な立体組織の構築法（将来像）。(a)面型組織で袋をつくる。(b)そこに線型組織の血管構造と点型組織を導入し、高密度な立体組織をつくる。(c)血管構造に養分を導入し培養を続けることによって、血管構造から毛細管が成長し、組織の内部まで養分が行き渡る。(d)外部に取り付けたポンプによって養分を灌流することで、長期間体外で複雑な立体組織を培養することができるようになる。

　まずは「面」の技術を使って、皮膚でできた袋構造をつくる（図
4a）。その中に「線」の血管を入れて、「点」で内部を肉付けして
いく（図4b）。すると、血管の周りに「点」組織が融合し立体組織
ができあがる。血管には、養分が流れるが、しばらく培養する
と、血管から毛細血管が成長し、組織の内部まで養分を行き渡ら
せることができる（図4c）。その血管構造を通して養分を灌流す
ることによって、長期間、立体組織を体外で培養することができ
ると考えている（図4d）。ここで、我々ができるのは点、線、面

の細胞組織の簡単な初期配置だけだが、長期間培養していくことによって、生体本来の形態にリモデリングされると考えている。

立体組織をつくると、いろいろな分野に応用できる。まずは、失われた臓器の機能を立体組織をつくって取り戻す再生医療がある。また、動物実験の要らない創薬分野への応用も考えられる。現在、薬をつくる上でも動物実験が必要不可欠とされている。ただ、動物を使う場合、いろいろな倫理的な問題がある。そこで、ヒトと同じような立体組織ができれば、そこに薬を振りかけるだけで、ヒト体内での挙動が分かるため、動物実験を行わなくても、薬の開発ができるのではないかといわれている。

医療や創薬以外にもいろいろな応用先がある。我々の体には様々なセンサが存在している。例えば、鼻には高感度な匂いセンサをもつ細胞が立体組織として存在している。そのような組織を再構築することで、これまで検出が難しかった物質を簡単に計測することができるようになるため、環境センシングなどへの応用も考えられる。

また、ロボットへの応用も期待されている。現在、ヒューマノイドの研究が非常に盛んで、人間に似たロボットがたくさん研究されている。例えばシリコーンゴムの皮膚がついているようなアンドロイドが有名だ。さらに進化し、本当の細胞でできた皮膚にできると、将来、人間と見分けのつかない外観のロボットができると考えている。

最後は、食料への応用だ。ほとんど、すべての食材は細胞でき上がっている。例えば、ウシから少しの筋幹細胞を抽出し、体外で細胞を大量に培養し、上で紹介したような立体的な筋組織として形成することができれば、動物の命を奪うことなく食肉を製

造することができると考えている。

　現在、我々の研究室では、紹介したすべての研究を推進しているが、これまでに成果の上がっているトピックに関して、いくつか紹介する。

膵島移植医療への展開

　現在、糖尿病治療に向けて取り組んでいる。糖尿病患者は、膵臓の機能が低下して、血糖値が上がっても十分なインスリンを出すことが難しい状態になっている。そこで代わりに、血糖値に応じてインスリンをつくってくれるようなβ細胞をファイバーの中に入れて、低侵襲で移植することを考えた。

　図5左は、β細胞をファイバーにカプセル化し、糖尿病のマウスの腎皮膜の内側に移植した写真だ。マイクロカテーテルの中にファイバーを入れておき、ゆっくりと放出しながら移植する。すると、図5左のようにきれいに移植することができる。ファイバーなので、その長さで何個の細胞を入れたかカウントすることができるため、非常に定量的で、決められた位置に、決められた分だけを移植するということができるようになる。

　図5右のように埋め込みからおよそ3日ほど経つと、血糖値が正常値（健康な人の血糖値は100ぐらい）に戻った。血糖値が回復して、2週間ぐらい、維持しているのが分かる。ファイバーなので、移植後に取り出すことができる。取り出すと、血糖値が元の高い値に戻ってしまうことから、血糖値改善の効果がこのファイバー移植にあることが分かってきた。現在は、この技術を臨床応用するために、ヒトiPS細胞からβ細胞をつくり、それらの細胞をカプセル化したファイバーを、さらに大型の動物に長期間移植する

実験を行っている。

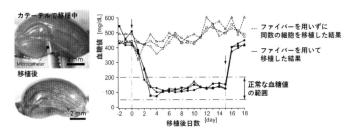

図5　（左）インスリンを産生するβ細胞を内包したファイバーをマイクロカテーテルによって移植している様子。（右）移植したファイバーによって、糖尿病マウスの血糖値を正常化することに成功した。ファイバーを取り除くと、血糖値が再び上昇した。また、細胞をファイバーにカプセル化せずに移植すると、細胞は体内で生着できず、血糖値は高いままであったことから、ファイバーを用いた移植法の効果が示された。

環境センサ

　もうひとつ、環境センサへの応用にも取り組んでいる。細胞を立体的に組織化して、その中に電極を埋め込む。すると、細胞表面に存在している様々なセンサ（膜タンパク質）を使った環境センシングを行うことができる。

　例えば、蚊の触角には、ヒトの汗の成分を検出するような受容体があるが、その受容体タンパク質を発現するような遺伝子を同定し、培養細胞の中に組み込む（図6a）。すると、蚊の持っている受容体を持つ培養細胞を大量につくることができる。この細胞は、匂い物質が吸着すると、細胞内外に電位差を生じさせることができる。この電気的な変化を、細胞の近くに配置した電極によって検出する。ただし、ひとつの細胞だと、そのシグナルは弱いが、おにぎりのように組織化すると、信号は増幅され、容易に計測することができるようになる。図6bのように、匂い成分が水の中を溶けて細胞にかかったときの電気的なシグナルを検出でき

るようになった。この例では、蚊の嗅覚受容体を用いたが、例えば、ミツバチであれば爆発物や麻薬の匂いをかぎ分けることができると言われている。このほかにも、呼気からでてくるガンや糖尿病時に発生する匂い物質を検出できる受容体があるという報告もある。この原理を使い、様々な受容体をそろえれば、各種のガスに高感度に対応した環境や健康状態のモニタリングができると考えている。

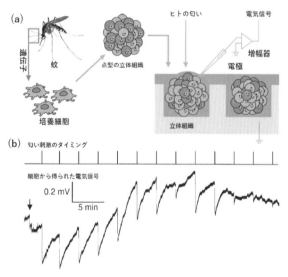

図6　(a)ヒトの汗に選択的に反応する蚊の嗅覚受容体を発現した培養細胞を用いて、点型の立体組織を作製し、小さな容器に並べる。組織に電極を刺入しヒトの汗の匂いをかけると(b)のような電気的な変化が計測できる。受容体の種類を変えることで、様々な匂いを高感度に検出できるセンサとしての応用が期待できる。

　以上、紹介したのは、いきモノづくりの一部にすぎない。近い将来、生物と人工物の垣根がなくなり、生体と機械を融合した「バイオハイブリッド」な技術が発展してくると考えている。生

物は、もともと高効率で環境に優しく、人工物を凌駕する特性を
いくつも兼ね備えている。そのような特性をもつ機械をいきモノ
づくりで創出することで、未来の超健康長寿社会や環境負荷の少
ない持続的な社会が創出されることを期待している。

註
＊1　レゴブロックはレゴ社の登録商標。

プロフィール

竹内昌治（たけうち しょうじ）
2000年東京大学大学院工学系研究科博士課程修了。2001年東京大
学生産技術研究所講師、2003年同助教授、2014年同教授、2019年
より東京大学大学院情報理工学系研究科知能機械情報学専攻教授。
専門はバイオハイブリッドデバイス、ナノバイオテクノロジー、マイクロ流
体デバイス、MEMS、ボトムアップ組織工学。

読書案内

▶ 三田吉郎『MEMSデバイス徹底入門―「つかう」「わかる」「つ
くる」マイクロマシン・センサ―』日刊工業新聞社、2018年
　　▷ MEMS技術について分かりやすく解説した最新の本。
▶ 北森武彦他編、化学とマイクロ・ナノシステム研究会監修『マイ
クロ化学チップの技術と応用』丸善出版、2004年
　　▷ 微小流路に関する技術が体系的に記載されている本。
▶ テルモ科学技術振興財団「生命科学DOKIDOKI研究室」監修『や
っぱりすごい！ 日本の再生医療』朝日新聞出版、2014年
　　▷ 日本の再生医療を牽引する研究者達にフォーカスされた本。

脱力から知る熟練者の身体

工藤和俊

　ヒトは、歌い、踊り、楽器を演奏し、スポーツをする動物である。私たちはこれらの活動をみずから楽しむとともに、他者の一流パフォーマンスに感情を揺さぶられる。これら芸術やスポーツの熟練パフォーマンスを実現している身体は、約 10^{13} 個の細胞、10^{11} 個の神経細胞、約400個もの骨格筋を有する極めて複雑なシステムである。身体が能動的に力を発揮する際には筋が活動する。物を持ち上げたり歩いたりすることはもとより、文字を眼で追ったり声を出したりする際にも筋活動が生じる。筋が活動する際には、筋細胞表面の膜を介して電荷を帯びた原子の出入りが生じ、微弱な電流が発生する。これを活動電位といい、皮膚上に貼り付けた電極から記録することができる。この活動記録は、さまざまな運動スキルの熟練差を知る手掛かりとなる。

協調する身体

　身体内には多数の筋が存在する。これら筋の活動を個別に制御することは、目の前にある多数のボリュームスイッチをいっぺんに操作するようなもので、大変に困難である。実際には、各筋の活動は互いに協調しており、同時に複数の筋が一定のパターンで

活動したり、一方の筋が収縮する際には他方の筋が自動的に弛緩したりするような関係性があらかじめ構築されている。これによって身体は操作すべきスイッチの数を減らし、制御の効率化を図っている。

　その一方で、このような協調性の存在ゆえに運動の制御が困難になることもある。たとえば、左右の人差し指を机に乗せ、指先で交互に机を叩いてみる。この運動を交互にゆっくりと行うことは造作ない。しかし、徐々にテンポを速くして交互の運動を継続しようとすると、意に反して両指の上下動が同期し、同時に机を叩いてしまう。あるいは手と足でそれぞれ机と床を交互に叩き、運動のテンポを速くしていくと、やはり手足の運動が同期してしまう。これらの協調特性は、手足をそろえた運動を行う際には有用である一方、それ以外の運動を行おうとすると足枷になってしまう。

演奏する身体

　楽器演奏における熟練者の身体は、初心者とどのように異なるのだろうか。熟練者は、多様な演奏技能を駆使してさまざまな楽曲を自在に弾きこなすことができる。一方で初心者は演奏のレパートリーがごく限られている。ピアノであれば、高度な技巧を要求されるバッハの平均律やショパンの練習曲を弾きこなすことができるのは、限られた熟練者のみである。ピアノのレッスンに通っている人に、人前で弾くことのできる曲のレパートリーを尋ねれば、その人がどれくらいの熟練度なのかわかる。

また、比較的易しい曲であっても、その弾き方には熟練差が現れる。ピアノの初心者が熟練者の演奏に接して、自分も弾いたことのある曲を優雅に弾きこなす様を見たときの驚きは、超絶技巧の難曲を弾いている様を見たときの驚きにけっして劣るものではない。熟練者の演奏は、まるで同じ楽器を弾いているとは思えないほど、鍵盤の奏でる音の一粒ひとつぶがつやつやと光り輝いて聞こえたりする。そこに現れた音色の違いは、初心者が自分自身で弾いた経験と照らし合わせることができるからこそ、肌身をもって理解できるといえる。

　実験的研究においても同じことがいえる。初心者に遂行可能な基本的課題を用いて熟練差を比較することで、運動遂行の土台をなす基礎的な技能の違いを明らかにすることができる。

　たとえばドラム演奏であれば、一定のテンポでのドラム打叩（だこう）は、いちばんの基本ともいえる課題である。実際にドラム演奏の熟練者（プロドラマー）と初心者とを対象として、利き手（右手）および非利き手（左手）で一定のテンポを保持しつつすばやく10秒間ドラムパッドを叩いてもらった際の打叩回数を図１Aに示す[*1,2]。意外なことに、回数だけ見ると両者には統計的に有意な熟練差が認められない。つまり、ドラムを叩く速さに関しては熟練差があるとはいえない。しかし、ドラム打叩間の時間間隔のばらつき（標準偏差）を比較すると、熟練ドラマーは初心者に比べて有意に小さい値を示す（図１B）。このことは、熟練者がより正確なテンポでドラムを叩いていたことを意味する。

　このときの筋活動を、図2Aに示す。はじめに、手首を屈曲（手のひら側に曲げる）させる筋である尺側手根屈筋の平均的活動を比較すると、両者に共通して山型の波形が認められる。実線で示

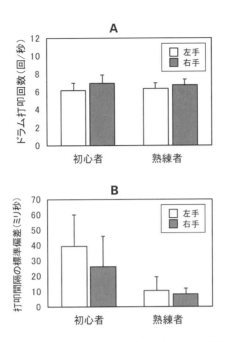

図1　初心者と熟練者におけるドラム打叩回数（A）およびドラム打叩間隔の標準偏差（B）

した平均波形のまわりにあるグレー部分は、打叩時刻を基準として筋活動波形を重ね書きした際の、各時刻における標準偏差を示している。初心者ではこのグレー部分の幅が熟練者よりも広くなっていることから、動作を繰り返した際に筋活動のばらつきが大きくなっていることがわかる。

　一方、手首を伸展（手の甲側に返す）させる筋である橈側手根伸筋の活動に注目してみると、その平均波形が両者で大きく異なっている。すなわち初心者では、屈筋が活動している区間で同時に伸筋の活動が認められる。このように、互いに拮抗する筋が同時

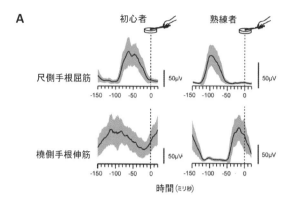

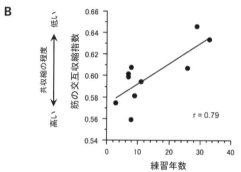

図2　ドラム打叩時の筋活動（A）およびドラム練習年数と交互収縮指数の関係（B）

に収縮する活動様式を共収縮という。共収縮では、互いの筋が発揮する力を打ち消し合うことになるので、エネルギー効率が低下する。

　これに対し、熟練ドラマーでは屈筋が活動している際に伸筋の活動が0に近づいている。このことから、熟練者では屈筋の活動時に伸筋が脱力（弛緩）していることがわかる。このような、互い

に反対方向へ力を発揮する筋同士において、一方が収縮するとき他方が弛緩する活動様式を交互収縮という。これらの結果から、熟練者はより少ないエネルギーで基本的な動作が遂行できることが示された。

　加えて、熟練ドラマーを対象としてドラム演奏の経験年数と共収縮の関係を検討したところ、これらに正の相関があることが明らかになった（図2B）。このことは、経験年数の長いドラマーほど、ドラムを叩く際の共収縮が少ないことを意味している。

　グラフの横軸から、本実験参加者のドラム経験年数は長い人で30年以上にわたることが読み取れる。一流パフォーマンス獲得の目安とされる1万時間をはるかに越えた年月にわたって弛まぬ練習を続けているベテラン演奏家は、若い頃に比べると筋力や持久力が低下しているかもしれない。それでもなおプロとして活躍し続けられる背景として、若い演奏家にはない「脱力」というスキルが貢献している可能性が示唆される。

　一方ここで次のような疑問も湧く。研究の対象となった演奏歴の長いベテランは、若い頃からもともと脱力できていたのか、あるいは数十年という長きにわたる演奏経験のなかで脱力を身につけたのか、という疑問である。この疑問に答えるためには、熟練差の比較という横断的研究では足りず、練習に伴う個人内の変化を追う縦断的研究が必要になる。

脱力スキルの縦断的変化および個人内の熟練差

　ドラム演奏において、個人の熟達化に伴う共収縮の変化を検討

した研究は現在のところ存在しないので、ここでは到達運動（リーチング）課題を用いて行われた学習実験を参考にしよう。この[*3]実験の参加者は、動作の開始点から目標点まで手先を移動させる到達運動課題を行う。このような運動は、コーヒーカップに手を伸ばすなど、日常的に行われる。このため、多くの参加者は日々この運動を繰り返しており、すでに熟練者になっている。そこで、学習のプロセスを検討するため、到達運動中に一定の力が手に加わるようにする。このような非日常的運動を行おうとすると、始めは意図した方向に腕が進まず、動きはぎこちなくなる。この状態は、運動に慣れていない初心者の状態を再現していると考えられる。それでも練習を重ねるにつれて学習は進み、次第に動きが滑らかになって、目標方向への直線的な運動が可能になる。このときの筋活動を計測すると、学習の初期にぎこちない動きをしている際には高い共収縮が観察される。学習が進み動きが滑らかになっていくと、徐々に共収縮も低下していく。これらの結果は、脱力が運動の熟達化に伴って獲得されるスキルであることを示している。

　また、手の運動に関していえば、利き手は非利き手よりも器用に動かすことができる。つまり個人内でも利き手と非利き手のあいだに熟練差が存在する。したがって、個人内の左右差を見ることで、運動の習熟度と共収縮の関係についてさらに検討することができる。実際に調べてみると、すばやく正確に動かすことのできる利き手は、非利き手に比べて共収縮が少ないことが明らかになった。これらの結果を総合すると、横断的に見ても縦断的に見ても、あるいは個人間・個人内を問わず、運動の熟練に伴って筋の共収縮が小さくなり脱力ができるようになると考えられる。

運動制御方略としての共収縮

　以上より、運動の熟練と共収縮の一貫した関係が確認できた。では、なぜ未熟練者は脱力が難しいのだろうか。あるいは、未熟練者が脱力しさえすれば、熟練者のような運動が可能になるのだろうか。

　ここでさらに、未熟練者が脱力できない理由を考えてみよう。ドラムを叩くという動作は、スティックを振り上げ、振り下ろすという運動からなる。この運動に関わる筋は、伸筋と屈筋である。ただし運動を生じさせる力は筋力だけではない。

　たとえばスティックを手に持って水平に保持し、その後スティックを持つ手を緩めると、スティックの先は重力に引かれて落ちていく。また、ドラムの表面に当たったスティックは面の弾性力を利用して跳ね上がる。これら重力や弾性力は、筋力とは異なる外力である。

　これらの外力を利用できれば、より少ない筋力で動作が可能になる。ただしこの外力を有効に用いることは簡単ではない。筋力と外力の合力によってドラムがどのような挙動を示すのか予測することは難しい。スティックがいつドラム面に衝突し、どのくらいの高さまで跳ね上がるのかわからなければ、どのタイミングでどの程度の筋力を発揮すればよいのかわからない。ドラムスティックの運動が予測できないまま無理やり力を抜いてドラムを叩いてみると、スティックは予期せぬ挙動を示し、安定したテンポで演奏できなくなってしまうだろう。すなわち、熟練者にとっての外力とは、筋力と協調してエネルギー効率の良い運動を可能にする心強い味方であるのに対し、初心者にとっての外力は不意に現

れて運動を掻き乱す厄介な敵になり代わっているのだ。この敵を抑え込むための有効な方法は、外力の作用を相対的に小さくすることである。そのためにはどうすればよいだろうか。

　簡単な実験をしてみよう。ふたり一組になって、ひとりが腕を水平に伸ばし、手先の位置を空中の一点に静止させる。このとき手首にひもでつないだ重りをぶら下げる（図3）。重りはペットボトルを使ってもよいだろう。もうひとりは重りを持ち上げたり、揺らしたり、落としたりして外乱を与える。このとき腕を水平に伸ばしている人は、手先の位置をできるだけ最初の位置からずらさないようにする。重りの動きが見えていて腕にかかる力が予測できるとき、この課題は比較的易しい。外乱が与えられるタイミングでそれに対抗する力を発揮すればよく、外乱がなければ重力に抗する最小限の力で手先を静止させておけば良い。

　一方で、たとえば眼を閉じて外乱がいつ与えられるかわからない条件で手先を静止させようとすると、異なる方法が要求される。この場合、腕を支える肩の周りの筋を共収縮させて、不意に

図3　手首に吊り下げた重り

外乱が来ても手先が動かないように固定しておく必要がある。この共収縮方略を用いることによりエネルギー効率は低下するものの、予期せぬ外乱に対して手先の変動を最小限に抑えることが可能になる。

　上記の例は腕を空中で静止させるという課題であったが、腕をリズミカルに上下動させるという課題におきかえても同様のことがいえる。予期せぬ外乱が存在する条件下で安定した運動を遂行するためには、運動中の共収縮を高めるという方略が有効になる。これはまさに、ドラム演奏の初心者が一定テンポでドラムを叩こうとした際に行っていたことに他ならない。つまり運動時の共収縮とは運動を安定化させるための制御方略であり、脱力とはやはり熟達化に伴って可能になるスキルであるといえる。そうだとするならば、未熟練者が脱力しても熟練者のような運動は到底できず、かえって運動が不安定になってしまうことになる。

個人内変動としての脱力

　人は誰しも、慣れぬ人前での演奏や重要な試合の際に、緊張して身体が硬くなり、動きがぎこちなくなることがある。緊張している状態とはすなわち、脱力できていない状態といえる。これまでの議論から考えると、慣れぬ舞台で脱力できなくなるという現象は、非日常的な状況下における運動制御方略の変更に起因している可能性がある。

　もしそうであれば、ある程度の熟練者であっても緊張場面においては一様に脱力が難しくなると考えられる。そこで、次のよう

な実験的コンクールを開催した。*⁴ この実験に参加したのは、音大生を中心としたアマチュアピアニストである。コンクールは一般観客の前で行われ、審査委員にはプロのピアニストや音楽の専門家の方々を招いた。また、上位入賞者には賞金が贈られた。

　コンクールに先立ち、観客のいない環境でリハーサルを行った。演奏時には、心拍および筋活動を計測した。図4に実験の結果を示す。コンクール時にはリハーサル時と比較して心拍数および筋活動の亢進（こうしん）が認められた。合わせて、手指関節の屈曲および

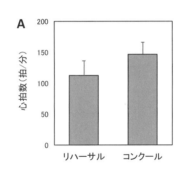

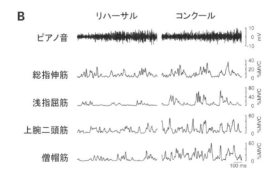

図4　ピアノ演奏時の心拍数（A）および筋活動（B）

伸展に関わる筋の共収縮も認められた。筋活動および共収縮の亢進に伴い、エネルギー消費量も増大する。より多くのエネルギーを産生しようとする際には、心拍数が増大する。演奏時の心拍数はリハーサル時とコンクール時とで平均30拍以上の差があった。参加者のなかには演奏時の最大心拍数が180拍/分を超えている人もいた。この心拍数は、マラソンのペースで走るような相当に「きつい」運動をしているときの値に相当する。

　リハーサル時に比べてコンクール時に脱力が難しかったのはなぜだろうか。演奏をしているのは同一個人であるから、この違いは「あがり症」のような個人の特性に起因しているとは考え難い。個人の内でも条件によって脱力できる場合とできない場合があるということである。本結果は、ある程度の熟練者であっても、慣れぬ環境でのパフォーマンスにおいては脱力が難しくなることを示している。なお、同コンクールの際、プロのピアニストの方に模範演奏をしていただいた。その際の筋活動を検討すると、見事なまでの脱力が確認できた。すなわち、観客を前にした演奏での脱力とは、さらなる経験と熟練のなせる技といえる。

おわりに——脱力という熟練スキル

　脱力のスキルとは、より少ない筋力で運動を遂行する能力である。ただし熟練者が行っていることは、たんに全身の力を抜いてリラックスすることではない。重力や弾性力を含む外力を利用し、必要なときに筋力を発揮し、これらを含めた身体と環境の資源を最大限に活用して、変化する環境のなかでみずからの運動を予期的に制御できるようになることでようやく可能になるのが脱

力である。

　資源には限りがある。演奏であれば、パフォーマンスの質を保つと同時に、難曲のコーダまで体力を温存し、長時間にわたる演奏を持続させるために限りある資源をいかにして有効に活用するのかという問題が、脱力の問題に他ならない。スポーツであれば、最後の勝負所で発揮するための力を残しておくために必要なスキルのひとつが脱力である。限りある資源を有効に使うことでサステイナブルな成長が可能になるという意味において、身体も地球も変わりはない。その意味で熟達化の問題とは、決してヒトの行う技芸に特化した問題ではない。熟達化の問題を資源の問題としてとらえなおすとき、そこにはまた新たな研究の世界が立ち現れる。

　　註
　＊1　Fujii, S., Kudo, K., Shinya, M., Ohtsuki, T., & Oda, S. (2009) Wrist muscle activity during rapid unimanual tapping with a drumstick in drummers and non-drummers. *Motor Control*, 13, 237-250.
　＊2　Fujii, S., Kudo, K., Ohtsuki, T., & Oda, S. (2009) Tapping performance and underlying wrist muscle activity of non-drummers, drummers, and the world's fastest drummer. *Neuroscience Letters*, 459, 69-73.
　＊3　Osu, R., Franklin, D. W., Kato, H., Gomi, H., Domen, K., Yoshioka, T., & Kawato, M. (2002) Short- and long-term changes in joint co-contraction associated with motor learning as revealed from surface EMG. *Journal of Neurophysiology*, 88, 991-1004.
　＊4　Yoshie, M., Kudo, K., Murakoshi, T., & Ohtsuki, T. (2009) Music performance anxiety in skilled pianists: effects of social-evaluative performance situation on subjective, autonomic, and electromyographic reactions. *Experimental Brain Research*, 199, 117-126.

プロフィール

工藤和俊（くどう かずとし）

1967年生まれ。1998年、東京大学大学院総合文化研究科生命環境科学系修了、博士（学術）取得。2002-03年、米国コネチカット大学 知覚と行為の生態学研究センター客員研究員。東京大学大学院総合文化研究科助手、助教、准教授を経て現在、東京大学大学院情報学環・学際情報学府准教授。

読書案内

▶ N・A・ベルンシュタイン『巧みさとその発達』工藤和俊訳、佐々木正人監訳、金子書房、2003年

　　▷ 現代の身体スキル研究に多大な影響を及ぼしている古典的名著。巧みな運動の組織化について、進化、発達、および学習を含めた観点から解説している。

▶ 佐々木正人編『知の生態学的転回1　身体：環境とのエンカウンター』東京大学出版会、2012年

　　▷ 身体を「環境とともにあるもの」として位置づけ、運動を可能にする環境資源と身体の関係からヒトの知覚と行為を読み解こうとする新たな試みに挑戦している。

▶ 東京大学身体運動科学研究室編『身体運動科学アドバンスト』杏林書院、2020年

　　▷ 運動生理学、運動神経科学、バイオメカニクス、スポーツ医学、スポーツ心理学など、ヒトの身体運動に関わる幅広い研究領域の最前線について紹介している。

放射線をとことん測ってみる
——測定の現場から

小豆川勝見

繰り返される事故と混乱

　放射線を測る、ひと昔前であれば、なんとマニアックな研究領域と思われただろうか。放射線、放射性物質ということばが否応なしに日本を震撼させたのは、直近では2011年から続く東京電力福島第一原子力発電所事故であろう。福島県浜通りに対する避難指示や東日本各地の食品の出荷制限、食品の基準値の策定などは放射線の測定がその基盤となっていることは言うまでもない。

　福島第一原発事故以前の放射線に関わる事件・事故として、国内では1999年のJCO臨界事故を筆頭に、1945年の広島・長崎への原子爆弾投下、1955年の水爆実験による第五福竜丸の被ばく事故が挙げられる。国外では1986年のチェルノブイリ原発事故や、1960年代の冷戦時代に列強諸国がその軍事力を誇示するために行った数多の大気核実験がある（あまり知られていない事故のひとつに、1956年のキシュテム事故（現在のロシア、当時はソビエト連邦）がある。保管していた放射性廃棄物が爆発し、広範囲に放射性物質が拡散した重大な事故であったが、事故そのものが1989年に情報公開されるまで公にすらなっていない）。そして2019年現在も、イランが核合意の段階的履行停止を宣言するなど、古今東西、「放射線」や

「核」が多くの懸念を発生させている。

　しかし、ここに挙げた事案について、「放射線」「核」といったキーワードには聞き覚えがあるものの、それらを系統立てて解説できる人材は、日本国内には極めて限られている。その理由は極めて単純で、そのような教育を広く受ける機会が日本にはほとんどなく、失礼を承知で書けば「物好き」が知る領域であった。そのため、多くの方にとって放射線、放射性物質は「なんとなく怖い」、「なんとなくよくないもの」といった印象が先立つのではないだろうか。加えて、こういった事案を伝える側・報道する側も十分な知識がない方が多いため、時として事実と全く異なった報道がなされ、それが根も葉もない、いわゆる風評被害につながることもある。

　2011年の福島第一原発事故発生直後の様子を改めて振り返ってみよう。福島沖を震源とする震度7の本震に立て続けに余震が重なり、海岸に大津波が押し寄せ、電気、ガス、水道といったインフラが停止し、東日本は大混乱に陥った。そこに未曽有の原子力事故である。この大混乱もあってか「放射線が移る」といった明らかに科学的に誤ったキーワードが大手の新聞に掲載されたこともあった。事故直後の原子炉プラントの状況がほとんど把握できていない状況下でも、炉心が崩壊熱で溶け落ちるメルトダウンが起きていない、と断言する研究者もあった。残念である。

　このような誤った情報が流布されたとしても、社会全体が放射線の基礎的知識を有していれば、「放射線が移る」などという記事は一蹴されるだろう。しかし、現実はそうではなかった。実際、当時はこの手のご質問を数えきれないほど頂き、回答に忙殺されたことをよく覚えている。

日本は2発の原子爆弾による被爆国であるだけでなく、これまでに数々の原子力事故を経験してきた国である。それにもかかわらず、事故のたびに同じようなレベルの話題で巷は騒ぎ立つ。放射線教育のための時間も十分にあった。ところが、事故の刹那刹那に放射線教育の重要性が叫ばれるものの、なぜか教育課程の本線に「放射線」が乗ってくることは長きにわたってなかった。その結果、教育の指導側も放射線を知らず、そして、その受け手である生徒も放射線を知る機会もない。そして、事故のたびに同じ問題を繰り返す、負のサイクルが続いている歴史が日本にはある。

解説！　放射線のエネルギー

　そのような負の連鎖を打ち切るためにも、放射線や核の基本的な知識の社会的な構築が必要であるのは言うまでもないが、しかしすでに「マニアックな」領域となっているゆえにどこから手を付けてよいやら悩むところだ。放射線に限ったことではないが、なじみのない単語で説明されても頭に入ってこないことは当然の理だ。ここでは、たくさんの小学生を相手に放射線の話をしてきた経験を踏まえて、従来の教科書のような展開をするつもりはまったくないので、安心して読み進めてほしい。

　総じて放射線とは、我々が普段生活する上では、とてつもなく強いエネルギーを持った光や粒のことである。そしてそれらは原子から飛んでくる。私たちが日常生活で想像する、強いエネルギーとは、たとえば、ガソリンを燃やして車を走らせるような化学

反応（多くが酸化反応）が代表的だ。これは、炭素原子が酸素原子とくっついて（炭素が酸化されて）二酸化炭素になるとき、その過程で外部にエネルギーとして熱を放出することによる。このとき、炭素1粒の原子が酸化によって外部に放出するエネルギーは約4 eV（エレクトロン・ボルト）である（単位のエレクトロン・ボルトはエネルギーの単位であるが、ここでは気にしなくてよい。高校生以上の読者のみなさんであれば、J（ジュール）と容易に変換可能である）。

　一方で、原発事故後に有名になった放射性物質のひとつ、Cs -137（セシウム -137）の1粒の原子が放出する放射線のエネルギーは、その十万倍のオーダーにも及ぶ。そのため、仮にCs -137を、1粒ではなくて人間の目に見えるほどに集めてしまった場合、すなわち、アボガドロ数（Na: 6.02×10^{23}）並みに原子の粒を集めてしまった場合（ =1モル、137グラム）には、炭素を燃やして得られるエネルギーなどとは比較にならないほどのエネルギーが放出されることが容易に想像されるだろう（定量的な比較を行うためには半減期の概念が必要になるが、ここでは話を簡単にするために割愛する。興味があれば「半減期」「比放射能」という単語で調べてほしい）。

　少し本筋から離れるが、原子核がふたつに割れて分裂する反応を起こす際には、Cs -137からの放射線のエネルギーよりも、さらにより強いエネルギーが放出される。これは原子炉の中で起きている反応のことだ。たとえば、原子炉の主な燃料であるU -235（ウラン-235）の1粒が2個のかけらに分裂したときに放出するエネルギーは、Cs -137が放出する放射線のエネルギーの千倍のオーダーになる。先に出てきた炭素1粒が酸化するときの反応と比較すると、10^8 倍のオーダーである。実に圧倒的ではないだろうか（ちなみに、U -235が割れてできる物質の代表的なものが、Cs -137で

ある）。このことを、発電用の原子炉の燃料棒（U -235が含まれてい
る）に置き換えて考えてみよう。発電用原子炉の燃料棒は大型の
発電所でもたいした大きさではない。燃料棒だけなら縦横数メー
トルほどの大きさである。一方で火力発電の燃料は天然ガスや石
炭、石油であり、それらはタンカーで運ぶほどの膨大な体積を必
要とする。発電用原子炉も火力発電所も同じエネルギーを取り出
すのだとしたら、必要な燃料の体積にも大きな差が生じることも
理解できるはずだ。

　次に、放射線のエネルギーが化学反応のそれよりも圧倒的に強
いことを、別の側面から考えてみよう。原子から放出される放射
線があまりに高エネルギーであるため、それを検知するために
は、安価な検出器でも、十分簡単に感じ取ることができるのだ。
このことを感覚で理解するために、あなたが原子の粒であり、あ
なたが発する声が放射線であると仮定しよう。地上で発するあな
たの声があまりにも大きいので、地球上のはるか彼方上空にいる
宇宙船の中にいる観測者からでも、「あ、あいつあの辺にいるな」
と聞き取ることができるようなものだ。あなた自身は見えなくて
も、である。

　一般的に、原子のふるまいを観察するのであれば、高額な分析
機器や高感度の試薬などが必要になる。もし人間の五感で捉える
のであれば、アボガドロ数オーダーの原子の数が必要になる。し
かし、放射線というものは、原子1個1個を直接観察することが
できなくても、自身のエネルギーの高さから、原子からのメッ
セージを伝えるかのように我々の測定器を呼応させることが可能
だ。福島第一原子力発電所事故以降よく見かけるシーンかもしれ
ないが、汚染検査でよく用いられるガイガーミュラー（GM）検知

管を放射性物質に近づけるとピコピコと鳴るのは、そこで起きていることはあまりにも微量な、そして、微小な原子からの高エネルギーな放射線を検出器が受け取っている、崩壊している原子からのメッセージに他ならない。この仕組みを利用したものが、「人がどれほど放射線で被ばくしたのか」を測定する個人被ばく線量計であったり、「この場所にはどれほど放射線が飛び交っているのか」を測定する空間線量計だったりする。

　さらに、放射線のエネルギーが極めて高い性質をうまく活用すれば、超微量分析も可能となる。検出器で捉えた放射線のエネルギーと数をカウントすることで、観測の対象には原子の粒がいくつ存在するのか、といった分析が可能だ。小惑星探査機はやぶさ（初代）が 2010 年に小惑星イトカワから持ち帰った微粒子に対して行われた分析では、放射線を分析することによって微粒子に含まれる Ir（イリジウム）という元素を 30 fg（フェムト・グラム）と定量することに成功している。これをあえて指数を使わずに書けば、0.000000000000030 グラムとなる。もともとの試料の量が限られるだけに容易な分析ではないが、このような高感度の分析を可能にしているのが、放射線のエネルギーがずば抜けて高いという特徴なのである。

....

プルトニウムを測るって大変！

　放射線のエネルギーについて把握したところで、本題である「放射線を測る」という世界に読者のみなさんを誘おう。冒頭、放射線とは高エネルギーの粒や光と紹介した。これらを測ってみ

ようというのだが、「粒」と「光」ではそもそも全く性質が異なるので、当然測り方も変えなければいけない。

　たとえば、放射線の中でアルファ線と呼ばれるものは「粒」の代表である。アルファ線と書けば非常に専門的な言葉に聞こえるが、何のことはない、ただのヘリウムの原子核である。親となるおおもとの原子核から、2個の陽子と2個の中性子がまとまって塊になったもの（これがヘリウムの原子核）がブチっともげて、光の速さの数パーセントの速さですっ飛んできているものがアルファ線だ（アルファ線の放出によって、親の原子核から陽子が2個減っているので、親の原子は周期表で2個左隣の元素に変わってしまう）。ヘリウムの原子核（アルファ線）が空間をすっ飛んでいる間は、1s軌道に電子を伴っていない裸の原子核のままのものだから、アルファ線の流れはプラスに荷電している。そのため、アルファ線を電場や磁場の中を通過させれば、ローレンツ力によって回転運動が生じる。このことは高校の「フレミングの左手の法則」を当てはめても理解できるはずだ。

　さらに、放射線にはベータ線というものがあるが、これも「粒」である。こちらも名前こそ専門的な雰囲気が漂うが、ベータ線はふたを開ければただの電子である。電子はマイナスの電荷をもっているから、アルファ線と正負こそ違えど同じ荷電粒子である。したがって、こちらも電場や磁場を通過させれば、アルファ線とは逆の方向にローレンツ力によって回転する。

　ここで勘の良い読者の方であれば、荷電粒子をカウントするくらいそう難しくはないはずだ、と考えるであろう。荷電粒子の粒を数えることは、それなりの測定機器が必要ではあるが、原理的には難しいことではない。ただ、これらの測定機器で分かること

は「ヘリウムの原子核や電子をこれだけ数えたよ」という情報だけであって、どの原子核から飛んできたのか「出元」が分からない欠点がある。我々測定側が一番知りたい情報は、飛んできたヘリウムの原子核や電子の数ではなくて、対象となったサンプルの中にアルファ線やベータ線を飛ばしてきたもともとの原子がどれほどいたのか、という情報である。

　これを明らかにしたければ、サンプルから対象物質だけを事前に抽出しておかなければならない。これを前処理という。放射線測定とは、放射線の数をカウントすることよりも前処理の程度が分析の質を決めるといっても過言ではない。

　このことを原発事故で放出されたプルトニウム（Pu）の測定を例に考えてみよう。プルトニウムは主にアルファ線を放出するので、アルファ線の分析機を用意しておこう。次に、プルトニウムの汚染が疑わしい事故現場周辺で土壌を数グラム採取してくる。ここで、「この土にはどれくらいプルトニウムがいるのかな」と経験の浅い研究者が、アルファ線の分析機器にいきなり土を直接突っ込んだとしても、分析機器は何らかの数値を返すだろうが得られた結果には何の意味もない。なぜなら、土には原発事故とは関係なく、プルトニウム以外にもアルファ線を放出する元素が多数存在するからだ。だから、プルトニウムを分析する正しい分析手順には、まず、その土からプルトニウム以外のすべての元素を分離する前処理が絶対に必要である。この前処理、たった1行で書いてしまうには口惜しいほどに極めて煩雑な作業なのである。加えて、作業するオペレーターの技術や、高額の試薬も必要になる。消耗品にかかる費用だけでも1サンプルあたり数万円はくだらないのではないだろうか。さらに、プルトニウムは核燃料にく

くられる元素のひとつでもあるため、日本国内の法規制だけでなく国際条約にも抵触する物質である。それらの点からの制約も大きく、日本国内でも分析を可能とする場所はごく限られている。

　ベータ線を放出する元素の分析でもアルファ線の元素と同様に、測定には前処理が必要で、放射線のカウントまでに大変な手間と時間を必要とする。さらにベータ線にはアルファ線とは異なる特殊な事情があって、ベータ線はそもそも原子核から放出された時点で単一のエネルギーを有していない。その上、多くの方に関心があるであろう Sr -90（放射性ストロンチウム、ベータ線を放出する元素の代表例）は、自身が放射線を出した後に別の元素（Y -90、イットリウムという）に変わって、またさらにベータ線を出しつつ別の元素に変わるという多段階で変わっていく元素である。そのため、前処理によってサンプルからせっかく Sr -90 だけを抽出したとしても、測定している途中でもしかしたら、Y -90 からの放射線をも数えているかもしれないのだ。そのような数え間違いをなくすためには、さらに手を加えなければならない。

　福島第一原子力発電所の事故発生直後に、プルトニウムや放射性ストロンチウムの分析結果がなかなか出てこなかったのは、こういった分析の難しさが原因のひとつであった。

ガンマ線は分析屋さんの味方

　一方で、ガンマ線という放射線は、アルファ線やベータ線とは性質が大きく異なる。ガンマ線は、粒ではなく光（光子）である。ガンマ線は光なのだから当然まっすぐ進むし、赤や青や黄色とい

った可視光線とも親戚である。ガンマ線と可視光線の両者が異なる点は、ガンマ線が可視光線に比較して圧倒的に強いエネルギーを有していることだ。可視光線のエネルギーは赤から紫まで多少の幅はあるものの、せいぜい1-3 eVである。これに対して、ガンマ線は可視光線の数十万倍のエネルギーを持っている。実際にCs -137を例に挙げれば、この元素が放出するガンマ線のエネルギーは661,000 eVである。これほどまでに強いエネルギーの光であるなら、人間の目で捉えられてもよいのに、と思うかもしれないが、紫色（約 3 eV）以上の光はどうやったって裸眼では無理である。そのため、ガンマ線が光であったとしてもその放出源を目視できることはない。もし、人間の眼球がグレードアップして、可視光線どころかガンマ線まで捉えることができるようになったのならば、現在福島県を中心に行われている除染や世界各地で行われている廃炉作業も非常に迅速に進むことになるだろう。

　それは夢物語としても、ガンマ線にはアルファ線やベータ線とは違う、分析屋さんにとって嬉しい性質がある。荷電粒子であるアルファ線やベータ線は、飛んでいる途中で周りにエネルギーを振りまきつつ飛んでいくので、自身のエネルギーは徐々に弱っていく。粒ひとつひとつが勝手気ままに道草を食いながら勢いが落ちていくので、何も工夫をしなければ、粒が検出器に到達したときには原子核からもげて粒が産まれたときの、もともとのエネルギーなどまるで分からないのだ。

　これに対して、ガンマ線は「光」なのだから、光の速さでまっすぐ飛んでいく性質がある。しかも、電荷を持たないので、ガンマ線が飛んでいる過程では電場や磁場にも邪魔されない。さらに、アルファ線やベータ線のように飛んでいる間に、その粒がま

わりの原子にエネルギーを分け与えてあっという間に弱っていくこともない。つまり、原子を出発してから検出器に到達するまでの間に、光のエネルギーそのものは変わらないという特徴がある。このことは、近くで見ても、遠くから見ても、明るさこそ違うが光源の色は変わらないことと同じである。そのガンマ線を検出器内に上手に導入することができれば、原子から放出されたときのエネルギーそのものを拾うことができる。原子から発せられたガンマ線はエネルギーが単一であるので、検出器で読み取ったエネルギーと文献値を照らし合わせることで、ガンマ線を放ってきたもともとの原子を確定させることが可能となる。661,000 eVのガンマ線を検出したら、あ、Cs-137がいるな、とすぐに分かるわけだ（極端な言い方ではあるが、青色が見えたら水があるな、と言っているようなものだ）。

　この特徴は分析屋さんにとって非常に大きなメリットで、ガンマ線の分析をする際に、サンプルに対して前処理が不要であることを意味している。採ってきた土をいきなり検出器にかけてもよいのだ。土の中にはガンマ線を放出する元素が多数存在しているけれども、それらはガンマ線スペクトル上で分けることが可能だ。これを人間の目で例えると、花畑の中に咲く赤白黄色いろいろな色があるけれども、赤の花はいくつ咲いているか数えることができることと同じである。このように、ガンマ線は光であるので、複数のエネルギーのガンマ線が飛んできても分析機器上で分別できる。だから、ガンマ線測定を行えば、非常に迅速に放射性物質を定量することができるのだ。Cs-137はガンマ線を放出する元素の代表例であるので、この元素を基準として食品や飲料水に含まれる放射性物質の基準値が定められている。

放射性物質と重さの関係

　ここまで放射線のアルファ線、ベータ線、ガンマ線の特徴について述べてきた。最後にもうひとつだけ放射性物質を理解する基本的な特徴をお知らせしたい。放射性物質は「物質」なのだから、当然重さがある。しかし、これまで述べてきたように、放射性物質は原子レベルで取り扱うものなのだから、原子が何個あるか、という考え方が基本的だ。当然、そのレベルの重さなど「吹けば飛ぶような」重さである。ここに我々の五感との大きな差がある。

　図1は福島県の飯舘村にある汚染土壌を一時的に溜めている場所である。黒い袋が並んでいるが、この袋には最大で1トンの土

図1　福島県飯舘村に一時的に保管してある汚染土壌（撮影は2013年6月）

が入る。ではこの1袋の中に放射性セシウムはいったいどれくらい含まれているのであろうか。はぎ取ってきた土壌の汚染の程度によるが、放射性セシウムの重さはおおよそ0.000000001グラムである。残りの99.99..パーセントはただの土である。「たった」これだけと思うかもしれないが、それだけの量でも管理しなければならないのが放射性物質なのだ。この袋、福島県内だけで約2200万袋存在し、2019年現在、大熊町と双葉町の両町にまたがる中間貯蔵施設という一時的に保管する施設に持ち込まれつつある。そして2045年3月までに福島県外で最終処分する計画が閣議決定されている。

放射性物質をみなさんはどう考える？

　ここまで放射性物質の特徴、測り方について述べてきた。では放射性物質に対する知識を得たみなさんは放射性物質に対してどんな印象を持つのだろうか。ここでは、聴講してくれた高校生のみなさんに放射性物質に対する意見や感想を、講義中にオンラインアンケートを使って問うてみた。

　質問は、福島市内で生産されたリンゴ（放射性セシウムが1キログラム当たり約2ベクレル含まれていた。基準値は1キログラム当たり100ベクレルである）について、講義を聞いたみなさんなら、「買う／食べる」、あるいは「買わない／食べない」か、という設問である。

　「買う」の意見としては、「たった1キロ当たり2ベクレルでしょ？　このリンゴ1個を食べたときの放射性セシウムによる被

ばく量は0.007マイクロシーベルトと計算できる。だから全く問題ない」という意見だった。一方で「買わない」の意見としては、「被ばく量が低いことは分かるけど、青森産とか、福島産以外のリンゴもスーパーでは手に入る。わざわざ購入する意味はあるの？」という意見だ。さて、その割合はどうだっただろうか。

　図2は2018年10月に、本講義を聴講した全国の高校生105人が回答した結果である。「買う/食べる」の割合が69％であったのに対して、「買わない/食べない」割合は31％であった。回答は講義中にオンラインで回収したものである。講義の映像が配信されている高校でスマートフォンの使用に差支えがない場合にのみに回答を限っていることに加え、そもそもスマートフォンを持っていない学生も多数いるため、図2の結果をそのまま高校生全体の意見として普遍化することはできない。ただ、これまで同年代の学生に同様のアンケートを採ってきた限りではこの割合は、年々、少しずつ「買う」の割合が増えてきた傾向が私には感じられる。読者のみなさんの印象はいかがだろうか。

　ここからは私見であるが、放射性物質に対してどのような印象を持つのか、それは個人の自由意思に基づくものであるし、購買や食欲といった人間の行動は科学だけで推し量れるものではないと考えている。加えて、先のアンケート結果は、教科書にあるような放射性物質の知識の有無と、食品の選択行動には必ずしも1対1の対応がないことを示しているように感じている。つまり、「放射線教育をすれば、基準値以下のものはみな売れる」といった短絡的な考えがどこかにあるとしたら、それは間違いだと私は予見している。私は、放射性物質について自由に話し、自身の意見を気兼ねなく述べることができる環境をもっと多くの場所で作

ることが何よりも大事であり、その材料のための放射線教育が重要であると、測定の現場から思い続けている。

図2 「高校生と大学生のための金曜特別講座」を受講した全国の高校生105人に対してその場で行ったオンラインアンケートの結果。回答数は105。2018年10月実施（講義中に意見を収集するため、本アンケートの回答にはスマートフォンを用いた。高校でスマートフォンの使用に差支えがない学生のみに回答をお願いしている）

プロフィール

小豆川勝見（しょうずがわ かつみ）

1979年生まれ。東京大学大学院総合文化研究科博士課程修了。2008年から同助教。研究用原子炉や加速器を用いた研究に従事していたが、2011年の福島第一原発事故を契機に環境放射線の測定を行う。放射線の教育活動にも取り組み、2019年秋までに、のべ100回、約1万人に楽しく学べる放射線講義を行ってきた。

読書案内

▶ セオドア・グレイ『世界で一番美しい元素図鑑』若林文高監修、武井摩利訳、創元社、2010年

    ▷ 筆者は周期表（Periodic table）にある元素を木製のテーブル

（table）に並べて作成したことで、2002年にイグノーベル賞を受賞したユーモアあふれる研究者である。同名の「元素図鑑」はiOSのアプリとしてiPad / iPhoneで閲覧可能（有償）。非常に美しい元素の画像や映像を時を忘れて鑑賞できる。

タンパク質をデザインして産業や医療に応用する

新井宗仁

....

じゃんけんの負けが人生の転機

　この世界を構成する最も根源的な物質は何だろう。そんなことを中学・高校の頃から漠然と考えていた。この疑問に答える学問は物理学、特に素粒子理論かもしれない。それを学びたいと思って、大学の物理学科に進んだ。

　物理学科には約30の研究室があった。大学4年になると学生は数名ずつ各研究室に配属され、専門的な教育を受けると同時に、研究というものを始めることになる。研究とは、だれも答えを知らない問題を自分で設定し、それを自分の力で解決していくプロセスのことだ。このようなトレーニングを積むことは、研究者になるためだけでなく、社会に出てさまざまな問題に取り組むうえでも大切である。これが高校までの学びと大学以降の学びとの違いであろう。

　数多くの研究室の中から、私は素粒子理論の研究室を希望した。しかし同じ考えの人も多く、素粒子理論は大人気だった。そこで、公平を期すために、希望者全員でじゃんけんをして決めることになった。私は集団でのじゃんけんに勝つ秘策を持っていたので、内心喜んだ。その秘策とは、まず1回じゃんけんをし、そ

の場に出ている最も多い手を次に出す、あいこならばこれを繰り返す、というものである。

この秘策は、最初のじゃんけんには使えないという欠点があるが、集団じゃんけんの1回目は大抵あいこになるので問題ないと踏んでいた。しかし、この研究室選びのときには、どういうわけか、1回目で勝負がついてしまった。私は1回目で負けてしまったのである。呆然として、自分が出したグーの手を見つめた。が、仕方ないので、どこか別の研究室を選ばなければならない。第一希望の研究室に配属されなくても、大学院入試で頑張れば、大学院からは希望の研究室に行ける可能性もある。

気を取り直して研究室一覧を見ると、ほとんどの研究室は第一希望者で定員が埋まっていたが、唯一、だれも希望していない研究室があった。生物物理学の研究室だった。

大学受験で理科2科目を選択するとき、物理と生物の組み合わせを選ぶ人は非常に少ない。物理を好きな人は生物が嫌いで、生物好きは物理嫌いという傾向があるように見受けられる。そのせいか、物理学科の学生は生物物理学に興味を持たなかったようだ。私も大学入学後、一度も生物の勉強をしていなかった。しかし、ふと、卒業までに一度くらいは生物を勉強しようかなと思い、吸い寄せられるように、その研究室の希望者欄に名前を書いた。

配属された生物物理学の研究室では、タンパク質のかたちと働きについての研究が行われていた。いろいろと学んでいくうちに、生命現象を駆動する最も根源的な物質がタンパク質であることを知った。つまり、ヒトや生物を宇宙に例えるならば、タンパク質こそが素粒子だったのだ。しかも、これは同期の仲間たちが

だれもやっていない研究だった。

　また、あとで詳しく述べるように、タンパク質のことを究めようと思ったら、生物学だけでは不十分で、物理学が必要だということも知った。そして生物と物理のように一見すると相容れないふたつのものを分け隔てなく扱い、うまく融合させることができれば、そこに新しい分野を創造できることを学んだ。

　さらに、いくつかの書物で見かけた「21世紀は生命科学の時代である」という言葉も魅力的だった。

　次第に、子供のころから漠然と考えていた、この世界における最も根源的な物質についての疑問が、「生命の素粒子を究める」という目標に収束していった。じゃんけんで負けてタンパク質と巡り合ったことは、私の将来を決めるうえでの大きな転機となった。

大学院進学についての悩み

　タンパク質を究めたいという目標はできたが、大学院に進学して研究者になることについては大いに悩んだ。博士号を取得して大学教員などのポストに就くのは狭き門だろう。また、大学卒業後は社会に出て就職する友達も多く、自分だけ大学院で細々と研究を続け、社会の役に立たない生活をしてよいのだろうかという後ろめたさもあった。

　私の父は医師だった。母からは私も医師になることを期待されていた。しかし中学のときに親に反抗し、あえて物理を学ぶ道に進んだ。

大学4年の夏に大学院入試に合格し、翌年も生物物理学の研究を続けられることになったが、そのときになって、自分で自分の道を選択することに自信がなくなったのだろう。医師のように社会に直接役立つ仕事に就くほうがよいのではないか、大学を受けなおそうかと迷い始めた。

　おずおずと親に相談してみた。母は医学部を受験しなおすかもしれないと聞いて喜んだ。しかし父は、ひととおり話を聞いたあと、せっかく大学院に受かったのだから、とりあえず博士課程まで進んでみて、それでも向いていないと思うのなら、違う道を探せばよいのではないかと言った。

　父はそっと背中を押してくれた。まるで私がそれを望んでいることをわかっていたかのように、ごく自然に後押ししてくれた。反抗してあまり口をきいていなかったが、私のことをずっと見ていてくれたのだろう。

　父の言葉で私の心は決まった。行けるところまで行ってみようと自分に誓った。そしてそれから30年近く、この道を歩き続けている。

DNAからタンパク質へ

　さて、ここからは、私が大好きな「タンパク質」について、特に、タンパク質が産業や医療でどのように利用されているのか、また、研究の最前線ではどのようなことが行われているのかを解説したい。

　デオキシリボ核酸（DNA）は遺伝情報を担っており、生物にと

って重要な物質であることは広く知られている。しかしDNA自体が私たちの体を動かしているのではない。DNAは、いつ、どこで、どんなタンパク質を作ればよいのかを指示する設計図であり、実際にはタンパク質こそが生命現象の実働部隊である。

　例えば、植物が光合成でデンプンを作る、動物が筋肉を動かしたり食べ物を消化したりする、免疫系が細菌やウイルスを認識して分解する等々の反応は、実はさまざまなタンパク質が行っていることである。ヒトには2万種類以上のタンパク質があり、しかも、各タンパク質がそれぞれ大量に存在している。そのため、合計で10^{23}個ものタンパク質分子がヒトの体内にあって、いま一斉に動いているのだ。それによって私たちは動き、話し、考えることができるのである。したがって、生物や生命について理解しようと思ったら、タンパク質のことを知らなければならない。高校までの生物学ではDNAの重要性が強調されるが、大学の生物学では、タンパク質が非常に多く登場することになる。

　タンパク質には、大きく分けて2種類の機能がある。結合と触媒である。どのタンパク質も何かしらの物質と結合して働くため、結合はタンパク質の最も基本的な機能だ。

　また、タンパク質によっては、結合した物質を別の物質へと変換する化学反応の触媒として働くものがある。このようなタンパク質を酵素と呼ぶ。生物による物質生産は、酵素の働きによる。一方、免疫などの働きは、主に結合タンパク質が担っている。

　タンパク質は、アミノ酸という小さな物質が鎖のようにつながった1本のひもであり、ひとつのタンパク質は、平均して約200個のアミノ酸からできている。生物が使っているアミノ酸は20種類であるため、アミノ酸の並び方（アミノ酸配列）には20^{200}通り

の可能性がある。このような多様性が、生物の多様性を生み出しているのだろう。ちなみに、ヒトは20種類のうちの約半分のアミノ酸しか体内で合成できない。それゆえ、別の生物のタンパク質を食べ、それを分解してアミノ酸を摂取することになる。

　では、DNAに書かれた遺伝情報は、どのようにしてタンパク質へと受け継がれるのだろうか。それは単純な文字列置換によって行われる（図1）。DNAは4種類の塩基（A, T, G, Cで表す）が、例えばATG ATT AGC CTG CAT GCG GAT……のように並んでできている。4文字の言語と言えよう。次に、DNAの遺伝情報はリボ核酸（RNA）へと転写され、Tの代わりにUで表される塩基を用いて、例えばAUG AUU AGC CUG CAU GCG GAU……のように並んだRNAができる。これも4文字の言語だ。

　一方、タンパク質は20種類のアミノ酸（A, C, D, E, F, G, H, I, K, L, M, N, P, Q, R, S, T, V, W, Yで表す）が並んでできており、20文字の言語である。4文字の言語から20文字の言語への翻訳は意外に単純だ。それは、3つの塩基（例えばAUG）がひとつのアミノ酸（この場合はM）に対応するという文字列置換によって行われる。この文字列置換の辞書（コドン表という）によると、上記の例では、MISLHAD…というアミノ酸配列を持ったタンパク質がつくられることになる。

タンパク質＝生命の素粒子

　こうして生体内でつくられたタンパク質は、最初はひも状に伸びた構造をしている。しかし、多くのタンパク質では伸びた形は

不安定なため、アミノ酸の並び方に応じて、特定の丸まった構造へと自然に折りたたまっていく（図1）。自然がタンパク質をコンパクトに折りたたむ方法は、らせん状にするか（αヘリックス）、あるいは、ひだ状にするか（βシート）のどちらかだ（図2）。このふたつが基本構造となり、それらの多様な組み合わせによって、約1000種類のタンパク質構造がこの世界には存在している。ヒトが持つ2万種類以上のタンパク質も、大まかな形は1000通りだけであるが、アミノ酸配列の違いによって立体構造が微妙に異なるため、形は似ていても多様な機能を発揮できる。

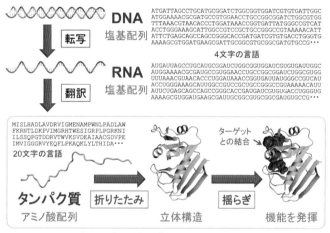

図1　生命のプログラムの解読

　折りたたまれたタンパク質は、そのあと石のように固まっているわけではない。タンパク質は柔らかく動くソフトマターであり、特定の構造を形成したあと、マイクロ秒（10^{-6}秒）からミリ

秒（1000分の1秒）のタイムスケールで高速に揺れ動くことによって初めて、ターゲットとなる物質と結合し、デンプンを分解したり、筋肉を動かしたりといった機能を発揮できるようになる。タンパク質が揺れ動く様子は、まるで生きているかのようで美しい。

このように、タンパク質の構造と動きを知ることが、タンパク質が働く仕組みを知るうえで重要である。これまでに、さまざまなタンパク質の構造と動きが解明され、数々のノーベル賞が授与されてきた。

ここまで来てようやく、DNAに書かれた遺伝情報、すなわち生命のプログラムが解読されたことになり、タンパク質が行う生命現象、すなわち生物らしさが垣間見えてくる。タンパク質分子は極めて小さく、水分子の数十倍程度の大きさでしかないのに、生体反応の基本単位となっている。その意味で、タンパク質は生

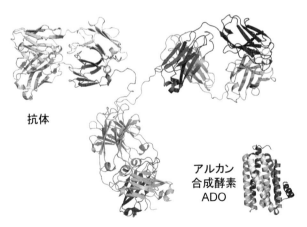

図2　タンパク質の立体構造
（左）抗体。ひだ状の基本構造が多数組み合わされてできている。
（右下）アルカン合成酵素ADO。らせん状の基本構造からなる。

命の素粒子と言えよう。

　ただし、タンパク質は単にアミノ酸がつながっただけの分子であり、それだけでは生物とは言えない。しかし、単なる物質にすぎないはずのタンパク質が、まるで生きているかのように動き、多様な機能を発揮することで、地球上のすべての生物を生かしているのだ。この世界に存在する物質の中で、タンパク質ほど素晴らしい物質は存在しないのではないかと、タンパク質好きの私はいつも密かに思っている。

タンパク質の折りたたみ問題

　生体内で合成されたタンパク質は、すぐに特定のコンパクトな構造へと折りたたまり、その状態で揺れ動くことによって機能を発揮する（図1）。しかし、タンパク質のアミノ酸配列が与えられたとき、そのタンパク質がどのような立体構造を形成し、どんな機能を発揮するのかを理論的に予測することは、驚くべきことに、現状ではまだ困難である。この問題は「タンパク質の折りたたみ問題」と呼ばれ、50年来の難問中の難問となっている。生命のプログラム解読の最終段階は未解明なのだ。後述するように、タンパク質の折りたたみ問題の解決は、計算機（コンピュータ）を用いてタンパク質を自由自在にデザインできるようにするうえで必要不可欠である。

　この問題は生物学だけでは解くことができない。物理学が必要となる。問題解決のための物理学的アプローチのひとつは、タンパク質を構成する数千〜数万個の全原子についてのシミュレーシ

ョンだ。原子間に働くクーロン力やファンデルワールス力などを考え、各原子についてニュートンの運動方程式を立てて、それらをスパコンで数値解析的に解いていけば、タンパク質の動きをシミュレーションできる。しかし、1フェムト秒（10^{-15}秒）を1ステップとし、10^{12}ステップ計算してやっと1ミリ秒間の動きのシミュレーションになる。小さなタンパク質の場合でも、世界最速のスパコンで1カ月はかかる計算だが、その折りたたみ反応過程と折りたたみ後の構造が実験結果と一致するという研究成果が複数報告されている。つまり、小さなタンパク質ならば、折りたたみ問題は解けつつある。とはいえ、アミノ酸200個からなる平均的なタンパク質では、その構造と機能の予測は未だに困難である。

　タンパク質のアミノ酸配列は文字列として表せることから、暗号解読のように言語学的アプローチで折りたたみ問題を解決しようとする研究もある。実際、言語に見られるジップの法則はタンパク質においても観測されており、言語とのアナロジーがどこまで成立するのかは興味深い。

　最近、物理学に加えて、人工知能（AI）の利用が、タンパク質の折りたたみ問題解決へのブレイクスルーになる可能性が出てきた。世界最強棋士に勝利した囲碁用のAI「アルファ碁」の開発者らが、深層学習を用いた「アルファフォールド」というソフトウェアを開発し、2018年に開催されたタンパク質の構造予測コンテストで、ずば抜けた成績で優勝したのだ。計算機と計算手法がますます発展すれば、タンパク質の折りたたみ問題を解決できるかもしれない。

　生命科学はいま急速に発展しているが、このようにまだ解けていない問題も多い。この状況は、見方を変えると、いまを生きる

人々に、やりがいのある課題をたくさん提供していると言える。今後、それらの課題を解決するためには、生物学のみでなく、物理学や情報学など他の分野についても学び、多様な観点からアプローチしていく必要があるだろう。特に計算機シミュレーションは、今後の生命科学において最も目覚ましい発展を遂げる可能性がある。生命科学も数十年後には、物理学と同様に、理論先行型の学問になるかもしれない。

天然タンパク質の産業・医療への応用

　生物が作り出した天然の（野生型の）タンパク質は、産業や医療などに既に広く使われている。ある生物が持つタンパク質を、その生物ごと利用する例は昔から存在した。それは発酵である。味噌、醤油、納豆、ヨーグルト、酒といった食品は、酵母などの微生物が持つ酵素を利用して加工されたものである。微生物の株を変えると加工食品の風味が変わるのは、それらの微生物が持つ酵素のアミノ酸配列がわずかに異なり、生産される物質が微妙に変化するためである。

　最近では、生物が作ったタンパク質を抽出して、タンパク質そのものを産業利用する例も多い。その代表例は、酵素入り洗剤である。汚れの成分であるタンパク質・デンプン・脂質などを分解する酵素が入った洗濯用洗剤や食器用洗剤が販売されている。また、洗顔液やコンタクトレンズの洗浄液に、パイナップルやパパイヤ由来のタンパク質分解酵素が含まれている例もある。

　酵素は、洗剤だけでなく食品加工にも使われている。例えば、

肉を柔らかくしたり、植物成分を分解して食品をつくったり、牛乳からチーズを製造したりするときなど。また、紙パルプの漂白、動物用飼料や農業用肥料の加工、バイオエタノール等の物質生産などにも、酵素が利用されている。

　医療に応用されているタンパク質も数多い。インスリンは膵臓から分泌されるタンパク質性のホルモンであり、糖尿病の治療に使われる。また、インターフェロンはウイルス増殖を抑制するタンパク質であり、ウイルス性肝炎の治療などに使われている。ほかに、殺菌作用を持つリゾチームが風邪薬として使われることもある。リゾチームは鶏卵の白身に存在するため、風邪には生卵が効くという話も納得がいく。この他にも、体内で働く酵素が少ないために起きる疾患では、足りない酵素そのものが投与される。病気の診断や検査、医薬品の製造などに用いられるタンパク質もある。

タンパク質デザインとは

　天然のタンパク質をそのまま用いるだけで十分に役立つならばよいが、それらの性能を改善できればより効果が大きくなるケースは多い。例えば、酵素の働きを効率化できれば少量の酵素使用で済むため、コストダウンにつながる。また、洗剤用酵素を高温・漂白剤存在下でも使えるようにしたい、タンパク質医薬品の働きを向上させて投与量を減らしたい、等々の要求もありうる。さらには、既存のタンパク質を改善するだけでなく、まったく新しい機能を持つ人工タンパク質を創り出し、これまで製造できな

かった物質を作りたい、新種の細菌やウイルスに強く結合してそれらの働きを妨害する医薬品を開発したい、といった要望もあるだろう。

このようなときに行うのがタンパク質デザインである。では、どのようにして、目的の機能を持つタンパク質を作るのか。通常は、既存のいずれかのタンパク質（野生型）をテンプレートにし、そのアミノ酸配列を一部変えた非天然のタンパク質（変異体）を設計したのち、これを実際に作製して、目的の機能を持つことを検証する。現在では遺伝子組換え実験法が確立しており、既存の遺伝子の塩基配列を一部改変し、それを大腸菌などの細胞に導入すれば、変異体のタンパク質を大量に生産できる。

問題は、どのようにしてタンパク質の変異体を設計するかである。タンパク質デザイン法には大きく分けて2通りがある。経験的設計と合理的設計である。以下では、これらふたつの具体的な方法とその成功例を概説する。

タンパク質の経験的設計

「経験的設計」では、さまざまなアミノ酸配列を持つタンパク質変異体を何種類も実際に作製し、それらの中から目的の機能を持つものを探し出す。現在のタンパク質デザインにおける主流はこの方法である。

経験的設計法の典型は進化分子工学実験である（図3）。これは、進化の原理を用いて、高性能化したタンパク質をデザインする方法だ。進化においては、親から子に遺伝情報が受け渡される

際に、突然変異などのランダムな変異が生じる。変異によってタンパク質の機能が低下すると、その変異を持つ個体は生き延びられないかもしれない。すなわち、進化における本質は、ランダム変異と選択である。これを人工的に高速に行わせるのが進化分子工学である。

　具体的には、まず、遺伝子組換え実験により、興味あるタンパク質の遺伝子（DNA）にランダムに変異を導入する。その方法としては、ポリメラーゼ連鎖反応（PCR）で遺伝子を増幅する際に変異が入りやすくするエラープローンPCR法や、類似した複数の遺伝子を断片化し、それらをモザイク状につなぎ合わせるDNAシャフリング法などがある。これらによって、多様な（$10^2 - 10^{13}$種類もの）変異体のライブラリーができる。

　次に、これらの変異体ライブラリーの中から、高性能化した変異体のみを選択する。実験系をうまく構築できれば、各変異体を大腸菌などの細胞に導入した際に、高性能化した変異体を含む細胞のみが蛍光を強く発するようにできる。よく光っている細胞を拾ってくれば、そこには高性能化したタンパク質とその遺伝子が含まれている。あるいは、ファージ（細菌に感染するウイルス）の表面に変異体のタンパク質が出てくるように遺伝子組換え実験を行い、ターゲットと強く結合するファージのみを拾ってくれば、ターゲットとの結合能が向上したタンパク質とその遺伝子を回収できる（ファージディスプレイ法）。

　このようなランダム変異と選択という人工進化サイクルを何度も繰り返すことによって、タンパク質を飛躍的に高性能化することが可能だ。これまでに、高温・漂白剤存在下でも働く洗剤用酵素や、疾患に関わるタンパク質と強く結合できる抗体など、数多

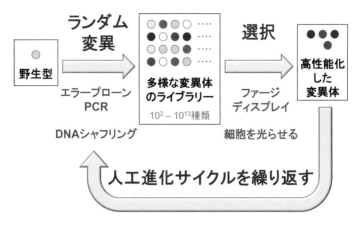

ランダム
変異
エラープローン
PCR
DNAシャフリング

野生型

多様な変異体
のライブラリー
$10^2 - 10^{13}$種類

選択
ファージ
ディスプレイ
細胞を光らせる

高性能化
した
変異体

人工進化サイクルを繰り返す

図3 進化分子工学実験の概要

くの有用タンパク質が開発されている。大学や企業などで広く利用されるスタンダードな手法になったことから、進化分子工学実験の提唱者とファージディスプレイ法の開発者に、2018年のノーベル化学賞が授与された。

　現在ではランダム変異導入と高性能化変異体の選択をさらに効率的に行える方法も次々と開発されており、進化分子工学実験の受託を行う創薬系バイオベンチャー企業もある。

抗体医薬品

　経験的設計によって開発された最も代表的なタンパク質は、抗体医薬品である。抗体は免疫系における重要なタンパク質であり、特定のターゲットに強く結合できる。例えば、あるふたつの

タンパク質が生体内で結合するとガンなどの疾患が引き起こされる場合、これらのタンパク質の一方と強く結合して、両者の結合を阻害する抗体を投与すれば、病気の発症を防ぐことができる。

抗体は、ヒトが両手をあげたようなY字型の構造をしており（図2）、両手に相当する部分（抗原認識部位）で、ターゲット（抗原）に結合する。ヒトには数百万から数億種類の抗体があり、それらの抗原認識部位のアミノ酸配列が異なるため、互いに異なる抗原を認識する。それゆえ進化分子工学実験を行い、疾患を引き起こす特定の抗原とだけ強く結合するように、抗原認識部位のアミノ酸配列をデザインできれば、その抗体は副作用の少ない医薬品として利用できる。最近では、医薬品売上のベスト10に複数の抗体医薬品がランキングされるほどだ。また、2018年のノーベル生理学・医学賞は、抗体医薬品を用いた画期的なガン治療法の開発に対して授与された。しかし、抗体は巨大なタンパク質であるため製造が難しく、薬価が高いなどの問題点も指摘されている。

タンパク質の合理的設計

以上のように、タンパク質の経験的設計は大きな成功を収めているが、何種類もの変異体を作製しなければならないため、大量の実験が必要になる。そこで現在注目されているのが、計算機を用いてタンパク質の変異体を理論的・合理的にデザインする「合理的設計」だ。進化分子工学実験におけるランダム変異と選択のプロセスを計算機で実行できれば、計算結果として得られた少数の変異体を実際に作製して検証するだけで、目的の機能を持つタ

ンパク質を得ることができるだろう。しかし、現状ではタンパク質の合理的設計は困難である。それは、タンパク質の折りたたみ問題が未解決だからだ。

タンパク質の折りたたみ問題を解決できれば、タンパク質のアミノ酸配列 ― 構造 ― 機能との対応関係が明らかになる（図1）。これは基礎研究として重要なだけでなく、応用研究にも直結している。なぜなら、その知見を利用すれば、目的の機能を持つタンパク質の構造を計算機で設計でき、さらに、その構造になるアミノ酸配列を計算機でデザインできるからだ。これが自由自在にできるようになれば、すべての病気それぞれに対するタンパク質医薬品や、個人個人に応じたテーラーメイド医薬品、石油に代わる燃料を生産する酵素などを容易に作ることができるだろう。

最近の生命科学の発展を見ると、あと数十年後にそのような時代が来るかもしれないという機運がある。そうなれば私たちの社会はとても豊かになるに違いない。そしてタンパク質デザイン法の開発は、後世に残る21世紀の偉業として語り継がれるかもしれない。

タンパク質の合理的設計はまだ萌芽的であるが、いくつか注目すべき進展がある。そのひとつが、米国ワシントン大学の研究者らによる、タンパク質設計用ソフトウェアRosetta（ロゼッタ）の開発だ。2000年代以降、Rosettaによって、天然に存在しない新しい構造のタンパク質、新しい触媒能を持つ酵素、抗体と同様の結合能を持つ新しい小型タンパク質の開発などが次々と行われ、世界中を驚かせた。現在では、私たちを含めて多くの研究者がRosettaの改良を進めており、研究業界全体としての底上げを図っている。

Rosettaはタンパク質の結合能を強化することに優れているが、酵素の触媒反応の効率化に利用することは困難であった。私たちは最近、Rosettaの使い方を工夫し、反応の始状態と遷移状態を同時に最適化することによって、酸素反応を効率化することに成功した。この方法は、今後、タンパク質の産業利用に活用できると期待される。

　しかし、Rosettaの発展が画期的であるとはいえ、タンパク質の折りたたみ問題はまだ解決しておらず、自由自在にタンパク質をデザインできるレベルに達するには、もう少し時間を要するだろう。経験的設計のほうが早いのが実状である。世界中の研究者がさまざまな方法で問題解決に取り組んでいるが、そのひとつの糸口として、Rosettaをベースとした無料のオンラインゲームFolditが開発されている（https://fold.it）。これはパソコン上に表示したタンパク質をマウス操作で折りたたんでいき、ハイスコアを競うゲームだ。ゲームの製作者らは、スコアの高いユーザーらの操作ログを参考にして、構造予測プログラムの改良に取り組んでいる。だれでも遊んだ分だけ科学の発展に貢献できるので、興味のある人はぜひ試してみてほしい。

私たちの研究目標

　私の所属は教養学部だが、教養学部にも統合自然科学科という理系の学科があり、大学院には広域科学専攻という理系の専攻がある。私たちの研究室には、タンパク質のことを究めて産業や医療に応用したいという熱い想いを持つメンバーが集まっている。

大学院生たちの出身学科は、生物系の学科だけでなく、物理学科、化学科、数学科など多様だ。最近はタンパク質の合理的設計に興味を持つ学生が多い。主な研究テーマは、創薬のための結合タンパク質の設計と、産業利用のための酵素の設計のふたつである。

　ひとつ目のテーマでは、疾患を引き起こすタンパク質と強く結合してその働きを阻害するタンパク質を、抗体よりも容易に製造できるタンパク質をテンプレートにして、Rosettaなどを用いて理論的に開発中である。今後はAIの手法も活用し、さまざまな疾患に対する阻害剤を開発していきたい。

　ふたつ目のテーマは、酵素の設計である。東日本大震災直後の3月と4月、タンパク質の研究者としてエネルギー問題の解決に貢献できないだろうかと毎日考えた。学生たちと一緒に調べた結果、ラン藻がふたつの酵素（AARとADO）を用いて（図2）、軽油の主成分であるアルカンを生産するという論文を見つけた。ラン藻は葉緑体の起源と考えられている微生物であり、二酸化炭素を吸収して光合成を行い、燃料として使えるアルカンを生産できるのだ。これを燃やして二酸化炭素が発生しても、ラン藻はそれを再び燃料に戻す。必要なものは太陽光と水だけだ。ラン藻によるアルカン生産を効率化できれば、空気中の二酸化炭素量を増やさない再生可能エネルギーとして利用できるだろう。しかし2011年当時、ふたつの酵素AARとADOは発見されたばかりで、構造や機能などの詳細は未解明であった。しかも、これらの酵素の反応効率は低く、バイオ燃料生産に応用するためには酵素の高活性化が必要だった。

　そこで私たちは、これらの酵素を徹底的に研究することにし

た。私自身も、自分が大学院生だった頃よりもずっと多く実験を
した。熱意は伝わるのか、研究費を得ることができ、学生たちも
集まってくれた。皆で研究に取り組んだ結果、これらの酵素の働
きが明らかになり、高活性化した変異体が得られつつある。今後
も、バイオ燃料の効率的生産を目指して、全力で取り組んでいき
たい。また、こうした研究に興味を持つ若者たちの参加をお待ち
している。

高校生・大学生へのメッセージ

　21世紀は生命科学の時代である。実際、21世紀はヒトゲノム
の解読とともに幕が開け、これまでに数々のタンパク質の構造が
決定された。おそらく数十年以内にタンパク質の折りたたみ問題
が解決され、生命のプログラムが解読されるだろう。これによっ
て、欲しいタンパク質を自由自在にデザインできるようになり、
タンパク質は産業や医療に頻繁に利用され、私たちの生活は豊か
になるであろう。これは後世に残る21世紀の偉業として語り継
がれるに違いない。私はこの研究に自分の人生をかける価値があ
ると思い、全力で取り組んでいる。ぜひ皆さんにも、自分の人生
をかける価値のある夢を見つけてほしいと思う。
　夢を探すのは容易ではないかもしれない。私自身も、大学4年
まで迷った。今から思うに、次の4つのことが大切かもしれな
い。
（1）いろいろな経験をしてみる。物理学しか見ないのではなく、
　　　生物学にも目を広げたことで、自分の道が見つかった。

（2）出会いを大切にする。友人、書物、教師、知人等との出会い
　　が、新しい視点を与えてくれて、視野が広くなる。
（3）自分はどうしたいのかを問い続けてみる。問い続けても、す
　　ぐには答えが出ないかもしれない。しかし、問い続けないと
　　見えてこないものはある。
（4）直感も大切。なんとなく面白そうなら、思い切ってやってみ
　　るとよい。その道を選んだ理由は、後から気づくかもしれな
　　い。

　自分の夢がなかなか見つからなくて、回り道をすることもある
だろう。しかしそれは無駄ではない。創造とは組み合わせである
と言われる。回り道をすることで得た経験を組み合わせれば、だ
れにも創れない、自分だけの新しい夢を創り出せるのだ。独創性
とは、自分の生き方そのものなのだ。

　だから、迷った分だけ、悩んだ分だけ、辛さに耐えた分だけ、
自信を持ってよい。夢をかなえるための秘訣はあきらめないこと
であり、そのためには自信を持つことが大切である。根拠のない
自信でもよい。一度しかない人生を、自分の夢にかけてみるのも
よいだろう。

　それでも自信をなくしそうになったら、だれかに相談するとよ
いだろう。そのようなときに私は、教員として、親として、若者
たちが夢に向かって飛び立とうとするのを後押しできるようにな
りたいと思っている。今は亡き父がそっと私の背中を押してくれ
たように。

プロフィール

新井宗仁（あらい むねひと）

1970年生まれ。1994年東京大学理学部物理学科卒業。東京大学大学院理学系研究科物理学専攻博士課程中途退学、同助手。博士（理学）。米国スクリプス研究所博士研究員、産業技術総合研究所研究グループ長を経て、2010年東京大学大学院総合文化研究科准教授、2017年同教授。専門は生物物理学、タンパク質工学。

読書案内

▶ 東京大学教養学部編『東京大学駒場スタイル』東京大学出版会、2019年
  ▷ 全東大生が少なくとも最初の2年間を過ごす東京大学教養学部（駒場キャンパス）の魅力が満載。

▶ ラインハート・レンネバーグ『カラー図解 EURO版 バイオテクノロジーの教科書』上下巻、小林達彦監修、田中暉夫、奥原正國訳、講談社ブルーバックス、2014年
  ▷ 発酵からタンパク質工学までを実例とともに広くカバーした、アメリカの大学でも教科書に採用されている書籍。上巻は基礎・食品・環境、下巻は医療・産業・新技術。

▶ デイヴィッド・サダヴァ他『カラー図解 アメリカ版 大学生物学の教科書』全5巻、石崎泰樹、丸山敬監訳、講談社ブルーバックス、2010–2014年
  ▷ MITを始めとするアメリカの大学で教科書に採用。全5巻で、第1巻・細胞生物学、第2巻・分子遺伝学、第3巻・分子生物学まではミクロな生物学が中心。第4巻・進化生物学と第5巻・生態学はマクロな生物学について。

はるか時空へ
問いかける

天体現象の数値シミュレーション

鈴木建

宇宙の風

　「宇宙空間は真空である」と言われる。地球大気1気圧の状況下では、1辺が1メートルの立方体の中にある空気の質量はおおよそ1.3キログラムである一方、太陽系が属する天の川銀河内の星間空間では、同じ1立方メートルの中にあるガスの質量はおおよそ10^{-21}キログラム程度である。星間空間のガスの密度が、我々が暮らす地球大気の10垓分の1程度と圧倒的に低く、その観点から「ほぼ真空」ということになる。

　しかし、この1立方メートルに10^{-21}キログラムという値はゼロではない、つまり、宇宙空間は完全な真空ではなく確かにガスが存在することを意味している。ガスが存在すると、地球上と同じように、ガスが流れ、風が吹くこともある。地球に一番近い恒星である太陽からも、太陽風と呼ばれるガスの流れ出しがある。太陽風は太陽系内の惑星間空間を吹き星間空間へと流れ出している（太陽風の項目参照）。太陽以外の恒星からも風が吹き出しており、恒星風と呼ばれている。

　質量の大きな恒星が進化するとやがて超新星爆発によりその一生を終えるが、このような天体の爆発も宇宙の風の源となる。太

陽風などの恒星から吹く風は、恒星の寿命の間——太陽の場合は約100億年——流出が継続するが、超新星爆発は非常に短期間に強い物質の吹き出しを引き起こす爆風であるという特徴がある。しかしながら天の川銀河の中を見渡すと、数十年に一度どこかで超新星爆発が起きていると言われている。この数十年という時間は、宇宙の年齢138億年から考えると「一瞬」である。天の川銀河内で超新星爆発がボンボン起き、星間空間のどこかは超新星爆発の風にさらされているということになる。

　また宇宙には、ブラックホールや中性子星と呼ばれる、小さな体積に莫大な質量が閉じ込められた天体が存在している。これらの高密度天体は強い重力のため周囲の物質を引きずり込む降着円盤を形成することが多い。恒星風や爆発現象などの天体から吹き出すのとは、逆方向の流れである。一方、このような吸い込みの流れである降着円盤を形成しつつも、ジェットと呼ばれる高速の吹き出し流をともなうものも多い。宇宙空間には、様々な物質の流れがあるのである。

天体現象の調べ方

　天文学や宇宙物理学が含まれる自然科学の研究の方法は、おおまかに理論的手法と実験的手法に分けることができる。理論というのは、自然現象で何が起きているのかを頭で考えて、文字通り理論的解釈を与え、あわよくばこれから何が起きるのかを予言することを目指す研究手法である。天体から吹き出す風に当てはめると、風が駆動されるメカニズムを数学や物理の知見を駆使して

理解し、今後の現象の予測を目指すということになる。

　対して、できるだけ忠実に自然現象を再現する実験を行い、何が起きているのかを理解しようというのが、実験的手法である。しかしながら宇宙の天体現象は、一般にスケールが非常に大きく、地球上では実現不可能な高いエネルギーであったり、低い密度、圧力という環境で起きるので、地上でそのまま実験することは不可能である。スケールを落としたミニチュア版の天体現象実験が一部可能ではあるが、開発途上という現状である。天文学や宇宙物理学における広い意味での実験的手法として用いられているのが、望遠鏡による観測である。大口径の望遠鏡や高性能な検出器を開発し、遠くの天体を詳細に観測し物理状態などを測定することにより、天体現象を理解するというものである。

　本稿で紹介するのは、これらふたつの手法の間に位置する第3の方法ともいえる、数値シミュレーション的手法である。自然現象を計算機の中で再現するというのがこの手法の肝であり、数値実験とも呼ばれる。実験や観測データを組み入れた上で、現象を記述する数式を計算機を用いて解く。理論と実験（観測）両手法の利点を取り込んだ方法であると言える。

　本稿では天体現象の数値シミュレーションによる研究を、太陽風を例に紹介する。

太陽風

　本題の数値シミュレーションに入る前に、太陽風についてもう少し詳しく紹介しておこう。太陽は表面温度が絶対温度にして約

5800度という非常に高温のガス球であるが、大気上空にはさらに高温の100万度を超えるコロナが存在している。このコロナから外に向かって流出しているのが太陽風である。大部分は水素とヘリウムから成り、コロナの温度を反映して非常に高温である。このため水素とヘリウムは電離し、これらのイオン（正電荷）と電子（負電荷）という電荷を持つ粒子の状態となっている。このような状態にあるガスをプラズマと呼ぶ。

　太陽風として吹き出したプラズマガスは、毎秒数百キロメートルという高速で四方八方に流れ出し、やがて星間空間のガスとぶつかり衝撃波を形成する。太陽と地球間の距離を天文単位と呼ぶが、1970年代に打ち上げられた宇宙探査機ボイジャーは、太陽系の惑星達の探査の後に太陽系の外側へと旅を続け、約120天文単位の位置で太陽風から星間ガスの領域へと抜け出した。この太陽風プラズマが満たす領域を、太陽圏と呼ぶ。

　太陽風は地球にも吹き付けている。地球は内部に巨大な棒磁石があるおかげで周囲に磁気圏が形成され、太陽風が地表に直入することはないが、磁気圏の外に出ると秒速300−800キロメートルという超高速のプラズマの風が吹きすさぶ、我々人間にとって非常に危険な環境である。太陽風粒子のうち一部は、地球の後ろ側に回り込んだりしながら北極や南極上空から流れ込み、オーロラとして観測される。

　太陽風は継続して太陽から流出しているが、フレアと呼ばれる表面での爆発現象などに起因して、コロナ質量放出と呼ばれる強いガスの噴出が起きることがある。このような高強度の太陽風が地球にやってくると、地磁気の状況を乱し電力網への悪影響や電波障害を引き起こすことがある。太陽風は人間社会とも密接に関

わっており、太陽風の状況を予測する宇宙天気予報が出されている。

太陽のエネルギーと太陽風

　太陽のおおもとのエネルギーは、中心核付近にある。太陽中心の温度は1500万-1600万度にも達する。このような高温環境下では、地球上では通常起きない水素4つからヘリウムを作り出す原子核の融合反応が起きる。ヘリウムよりも元の水素4つの質量が若干大きく、この質量の差がエネルギーとなる。質量mとエネルギーEが光速cを通じ$E=mc^2$と関連付けられるという式をご覧になった方もいるであろう。核融合反応では質量が減り、その分のエネルギーが生み出されている。

　中心付近で発生したエネルギーは、より温度の低い表面へと伝わっていく。中心に近い場所では放射（光子）がエネルギーを伝えるが、表面に近い場所では対流がエネルギーの輸送を担う。対流は我々にも身近な現象であり、例えば冷めた味噌汁を温める際にも重要な役割を担っている。味噌汁を下から加熱すると温められた下部の味噌汁が軽くなり上へと移動する一方、上にある冷たいままの味噌汁は下に沈み込む。こうして対流により上下の交換が繰り返され、下部からの熱が味噌汁全体に行き渡り、さらに味噌汁表面から上の空気へと放出されていく。

　太陽でも対流により内部から外部へとエネルギーが輸送され、核融合で生み出されたエネルギーの大部分は光（電磁波）となり表面から放出され、我々の地球にも降り注いでいる。電磁波以外に

もニュートリノという素粒子や、本稿で調査する太陽風としてエネルギーが放出され、地球にも到来する。

　さて本題の太陽風であるが、その駆動には表面直下の対流が大きく関係している。味噌汁を温めることを想像して頂ければ分かるが、対流では物質そのものが動き回る。太陽の対流で動き回るのはプラズマ、つまり電荷を持った粒子達である。荷電粒子の動きは電流と呼ぶことができるが、電流は磁場を生成する。小中学校の理科で電磁石の実験をされた記憶がある方も多いと思うが、あれはまさに電気を流すことで磁石を作る一例である。太陽の対流でも同じことが起きているのである。結果として太陽は磁場だらけということになる。

　太陽の上空には表面よりも高温なコロナがあることは述べたが、このこと自体が非常に不思議である。太陽の中心にあるおおもとの加熱源は、いわばストーブに対応している、通常は、中心から遠い上空に行くほどストーブから離れることになるので、温度は下がっていくはずである。しかし太陽表面からコロナにかけては、温度の傾向が完全に逆になっているのである。高温のコロナの加熱、そしてそこからの太陽風の駆動を担っているのが磁場である。対流のエネルギーの一部を磁場を使って上空に持ち上げ、コロナの熱や太陽風の運動のエネルギーへと受け渡すことができれば良いのである。

磁場の役割

　磁場の役割を考える際には、「磁力線」を持ち出すのが便利で

ある。磁力線はN極から出てS極に入る線と定義され、いくつか
の特徴がある。ひとつめの特徴は、曲げられた磁力線は真っ直ぐ
になりたいというものであり、この真っ直ぐになる力を磁気張力
と呼ぶ。張力が働くという点は、磁力線はゴム紐やギターの弦と
似ている。ギターの弦を弾くと音が鳴るが、これは弦の歪みが張
力により弦を波として伝わるからである。磁力線にも磁気張力に
よる波が伝わり、アルヴェン波と呼ばれる。[*1]

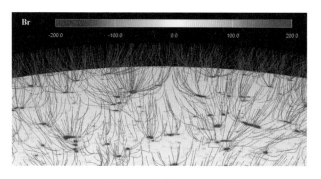

図1　太陽表面の磁場（塩田ら2012より）
青～赤色で表わされるのは太陽観測衛星「ひので」により観測された磁束密度。
黒線は、強い磁場領域から延びる磁力線を表す。

　図1には太陽表面の磁力線の状況が描かれているが、ラッパの
ような構造がいくつも見える。これらを磁束管と呼ぶ。表面直下
は対流しておりガスが動き回っているので、そこから生える磁束
管の根元もゆらゆらと揺れていることになる。これはギターの弦
を弾くのと同じ状況であり、対流の運動が磁力線を伝わるアルヴ
ェン波として上方向へと伝搬していくことが推察される。
　磁力線のもうひとつの特徴は、密に束ねられた場所では磁力線

はお互いに離れたがるというものである。密集地帯の解消という意味から磁場の圧力と考えて良いものであり、磁気圧と呼ばれる。

数値シミュレーション

　計算機の中で太陽風を吹かせる数値実験を、ここでもう少し詳しく紹介しよう。我々の研究では、気体や液体という流体の振舞いをシミュレートする際によく用いられる、格子法という手法を使う。図2にあるように、太陽大気に座標を設定し、座標の各点（格子点）での密度、温度、速度や磁場の強さが時間と共にどう変化するかを、コンピュータで方程式を解きながら調査するというのが主な流れである。

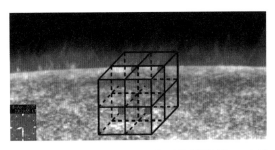

図2　太陽大気に座標を設定する。観測画像は太陽観測衛星「ひので」より。

　我々の研究では、図1にあるようなラッパ状の磁束管について、太陽の表面（光球）から惑星間空間までの数値実験を行う。特に、表面の対流運動により発生した波がどのように上方向へと伝

搬し、高層のコロナを加熱し太陽風を駆動するのかに着目する。

　図2を見て頂くと、太陽表面に近い場所から上に行くに従い暗くなっていくことが分かる。これは上空に行けば行く程ガスの密度が下がり、光を出す物質の量が減るからである。明るい部分では観測データが豊富に取得できる一方で、暗い領域からは観測の情報を得るのが困難となる。図のさらに上空、惑星間空間の太陽風領域ではもっとガスの密度が下がり、観測から太陽風の状態を決められなくなる。地球に近い場所まで来ると、いくつかの宇宙探査機が太陽風の物理状態を直接測定しており、太陽風の状況がようやく分かるようになる。[*2]

　つまりまとめると、太陽に近い場所と、地球軌道に近い場所を除き、太陽風の物理状態を観測・実験的手法により知ることは現状で不可能であるということである。ちょうどこの観測できない場所で、太陽風の速度もグンと速くなっている。太陽風が何故吹くのかを明らかにするためには、この「観測の谷」で何が起きているのかを理解する必要がある。

　ここで理論計算の出番である。太陽表面での対流の状況の観測データを入力し、観測が困難な上空に向かって計算していくというのが方針である。観測によりデータが得られない領域で数値シミュレーションを行い、太陽風が何故どのように駆動されるのかを解明しようということである。数値シミュレーションは、実験的手法（観測）と理論的手法（数値計算）両者の利点を取り入れ、「見えないものを計算機の中で見る」方法である。

バグ取りの話

　数値シミュレーションをするためには、計算プログラムを作成する必要がある。天体現象の計算プログラムは、通常数千行から数万行に及ぶ長大なものとなる。そうするとどうしてもプログラムを書く際に、ミス——バグ（虫という意味）——が入ってしまう。バグには単純なタイプミスから、数値計算にともなう除去が困難なものまで様々なものが発生する。我々「数値実験屋」は、研究の大半の時間をプログラムのバグ取りに没頭することになる。

　ここで紹介する太陽風の計算を例に取ると、プログラム全体を書くのに要した時間は正味数日であったが、最後のバグが取れるまでに1年と3カ月を要した。最後に取れたバグというのは、とある計算式での＋（足し算）と－（引き算）の取り違えという、非常に単純なミスであった。

計算機の中の太陽風

　1年以上掛かったが、無事にプログラムのバグも取れ太陽風の数値実験を順調に行えるようになった。最初に静止し、かつ、「冷たい」温度が1万度の大気を置く。太陽風もコロナもない状態からシミュレーションを開始するということである。計算を開始すると、表面の対流運動によりアルヴェン波が発生し、上方へと伝搬していく。このアルヴェン波が対流の運動エネルギーを運び、コロナが加熱され太陽風が駆動される。

　図3の左側は、1本の磁束管に着目した数値実験の結果である。

左上から時計回りに、計算開始後2日弱経過した時点での、ガスの速度、温度、密度、波の振幅を表面からの距離（太陽半径）に対して表示している。横軸の100太陽半径はおおよそ0.5天文単位に相当する。上2枚のパネルは、ガスが温度100万度程度のコロナとなり、そしてさらに、毎秒800キロメートル程度にまで加速され、ちょうど現在観測されているような太陽風が流れ出しているをことを示している。

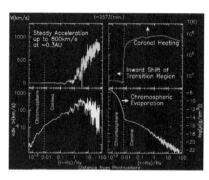 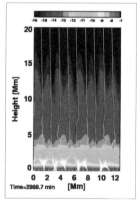

図3左　1本の磁束管に着目した太陽コロナと太陽風の数値シミュレーションの結果（鈴木 & 犬塚 2005より）。初期に冷たく止まった大気を置き、表面で対流運動を起こし波を発生させる。表示しているのは、計算開始から2573分（2日弱）経過した状態である。4つのパネルの横軸は太陽表面からの距離（太陽半径単位）であり、左上から時計回りにそれぞれ、太陽風速度（km/s）、温度（絶対温度）、密度（g/cm³）、アルヴェン波の振幅（km/s）である。
図3右　1本の磁束管だけでなく、横方向にも領域を拡げた数値シミュレーションの結果（松本 & 鈴木2012より）。掲載しているのは計算開始から2966.7分（2日強）経過した状態である。縦軸と横軸の単位はMm（メガメーター：1000kmに対応）であり、太陽風の根元までの範囲を表示している。白線は磁力線を、色は密度（g/cm³）の対数表示である。

　　図3の右側は、太陽風が流れ出す磁束管に加え、周囲の状況も合わせてシミュレートした結果である。この図では計算領域全体

ではなく、コロナから太陽風の根元までの領域のみを拡大して表示している。白線で描かれた磁力線の特に根元付近が曲っているが、これが表面から発生したアルヴェン波である。

太陽風中の音波

　表面直下での対流の帰結として太陽風が確かに吹き出すことを、数値シミュレーションにより示すことができたが、具体的にどのようなメカニズムで流れが駆動されているのだろうか？　数値実験では観測できない領域もシミュレートできており、この領域でのエネルギーの流れを解析すれば詳細な状況が分かるはずである。

　図の左側の右下のガスの密度を表示したパネルをご覧頂きたい。上空に行けば行く程密度が低下するという傾向は地球大気と同じであるが、ここで注目して頂きたいのは上空にある、細かなギザギザ構造である。これは密度の大小が太陽風中にあることを示している。実はこの正体は音波である。音は空気などの媒質中に、密度が低い場所と高い場所が交互にでき伝わっていくというのが特徴であるが、このような音波が太陽風中にも発生していたのである。

　この音波の発生には、表面から伝わってきたアルヴェン波が大きく関わっている。アルヴェン波はギターの弦を伝わる波と似ていると述べた。ギターの弦を弾くと弦に波が伝わると同時に、周囲に音も発生する。太陽風中でもこれと同じようなことが起き、アルヴェン波が磁力線を伝わると同時に、周囲に音波もたててい

たのである。

　太陽内部の対流のエネルギーがアルヴェン波により上空へと持ち上げられ、その一部がさらに音波のエネルギーに変わっていたということである。音波はしばらく伝搬するとやがて減衰し、最終的にガス全体のエネルギー、つまりコロナの加熱と太陽風の駆動に引き継がれる。結果として、太陽内部の対流エネルギーが、アルヴェン波と音波という2種類の波動により上空へと受け渡され太陽風の駆動を引き起こしたことが、数値実験により分かった。

　実は音波の存在が、金星探査機「あかつき」の最近の観測によっても実証された。あかつきは金星の大気や気候の調査のためにJAXAから打ち上げられた探査機であるが、2010年の最初の金星周回軌道の投入に失敗し、2015年の2回目の軌道投入に成功するまでに、太陽の周囲を回っていた時期があった。この時に太陽の周囲のガスの状況を観測し、太陽風中に密度の濃淡が存在していることを発見した。我々の数値実験で計算機の中で見えていたものが、実際の太陽風でも存在していたのである。

　ただし、音波の強度については我々の数値実験と観測で不一致も見られる。この不一致の原因には観測と数値実験それぞれの誤差などの様々な要因があるが、そのうちのひとつが数値実験の領域の広さが十分でなかったことである。図の左は1本の磁束管のみ、右側は複数が含まれているが、いずれも奥行方向には狭い範囲しかカバーできてない。縦横奥行き3方向に十分な範囲を取り数値実験をすることで、乱れた流れとその中での磁場の状況をより正確に取り扱えるようになる。その結果、波の伝搬や上空での散逸の状況が修正を受ける可能性もある。より現実的な設定で精

緻な数値シミュレーションを行うことが、今後の課題である。

様々な天体現象

　これまで太陽風の数値実験を例に取り、天体現象のシミュレーション研究について紹介してきた。我々が数値実験で解いているのは、ガスと磁場がお互いに影響を及ぼし合う状況を記述する、磁気流体力学の方程式と呼ばれるものである。磁気流体力学は太陽風に限らず様々な天体現象に応用可能である。我々も太陽風で用いた数値実験を、他の恒星からの恒星風、若い星の回りで惑星を形成する天体である原始惑星系円盤や、天の川銀河の星間ガスなど、様々なものに適用してきた。

　これらの天体はいずれも太陽よりも遠く、太陽ほどは詳細な観測ができないため、数値実験が非常に強力な手法となる。まさに遠くて暗い見えないものを計算機でシミュレートするということである。コンピューターの性能向上もあり、宇宙・天体現象のシミュレーション研究は近年ますます盛んに行われるようになってきている。乞御期待ということで、本稿を閉じたいと思う。

註
* 1　ハンス・アルヴェーンはスウェーデンの物理学者。1970年ノーベル物理学賞受賞。
* 2　図2では可視光線による観測画像を掲載しているが、コロナに感度があるX線であればもう少し上空まで観測可能である。しかしX線でも上空に行けば行く程暗くなり観測が困難になる状況は同じである。

プロフィール

鈴木建 (すずき たける)

1975年生まれ。1998年東京大学理学部天文学科卒業。2003年東京大学大学院理学系研究科天文学専攻博士課程修了。博士 (理学)。名古屋大学大学院理学研究科准教授などを経て、2016年より東京大学大学院総合文化研究科教授。専門は、宇宙・天体プラズマ流体の数値シミュレーション研究。

読書案内

▶ 桜井隆・小島正宜・小杉健郎・柴田一成編『太陽 [第2版]』(現代の天文学第10巻) 日本評論社、2018年
　▷ 最も近い恒星である太陽の最新の知見と謎を、「ひので」などの最新の人工衛星観測以降の結果もふまえて解説。
▶ 国立天文台編『理科年表2020』丸善出版、2019年
　▷ 科学全般のデータブックとして知られているが、実は読物としても最高に面白い。時刻表を読むのが好きな人なら、確実に楽しめるはず。
▶ 朝永振一郎『量子力学と私』江沢洋編、岩波文庫、1997年
　▷ ノーベル物理学賞受賞者の複数の著作をまとめたもの。研究で上手く行かない時に「滞独日記」を読むと元気が取り戻せる。
▶ 鈴木建『高校生からの天文学 驚異の太陽』日本評論社、2020年
　▷ ここで紹介した内容をさらに深掘りしています。もっと詳しく知りたい方は是非どうぞ。

「水惑星」地球をめぐる水を捉える

沖大幹

「水惑星」地球

　水はヒトを含む地球上のすべての生命にとって不可欠であり、人類の健康で文化的な生活には安全な水の安定した供給が欠かせない。しかしながら、世界人口が約3.7倍に増えた20世紀の間に人間による取水量は全世界で約6.3倍に増加し、世界中で水をめぐる紛争の増大傾向も観察された。21世紀にはさらなる人口増と気候変動の影響によって水需給が逼迫し、やがて水資源は枯渇してしまい、水不足に起因して社会が不安定化したり水戦争が勃発したりするのではないかとも懸念されている。

　水の惑星とも呼ばれる地球で、本当に水が無くなってしまうなどということがあり得るのだろうか。

　宇宙から地球の姿を眺めると、地球表面の約7割は液体や固体の水の粒である雲で常に覆われていて、雲の隙間からは液体の水である海洋が地球表面のやはり約7割を占めている様子が窺える。大陸上も南北の極域や標高の高い地域は固体の水である雪や氷で覆われていて、さらには水なしでは繁茂できない植物が大陸の広い部分を占めているのが観察されるだろう。青い地球はまさに「水の惑星」の名にふさわしく見えるに違いない。

しかし、地球表面を覆う水の総量は1.4×10の21乗kgで地球全体の重さ約6×10の24乗kgの約0.02%、地球の重さの約5000分の1にすぎない。体積で考えると直径約1400kmの水球に相当し、これはほぼ青森から鹿児島くらいの距離、地球直径の約10分の1に相当する。つまり、体積に換算すると水の量は地球全体の約1000分の1、約0.1%しかない。

　我々が暮らす大陸や海洋底からなる地殻の下のマントルは高圧高温下にあり、そうした条件下ではそれなりの量の水を含みうる、ということから、地球のマントル中には我々が認識している地球表層の水の3倍もの水が含まれている可能性がある、という推計もなされており、マントルの滑らかな流動には水の存在が不可欠だとの研究結果もある。しかし、まだ実際にどのくらいの水がマントル中に含まれているのか、実証的に確認されているわけではない。いずれにせよ、地球は水惑星というよりは鉄と酸素、ケイ素やマグネシウムでできた惑星で、表面を水がほんの少しごく薄く覆っているだけ、「水めっき」の惑星である。

不思議な水のはたらき

　たとえ表層だけだとしても、今も水で覆われている惑星は太陽系では地球だけである。かつては金星にも火星にも地球と同様に水が存在したが、惑星進化の過程で太陽からのプラズマ粒子や放射線の影響により金星ではほぼ失われ、火星では低温のため、残った水も極や地下に氷として残るばかりとなったと考えられている。

水分子は水素原子ふたつと酸素原子の共有結合による化合物であるが、分子全体として極性をもち、複数の水分子間で水素結合によるクラスター構造を生じやすいため、似た化合物の中では例外的に高い融点（ほぼ摂氏0度）、沸点（ほぼ摂氏100度）である。もし水の融点や沸点が似た物質のように零下数十度といった値であったなら、液体の水を必要とする生物は地球ではなく火星を覆いつくしていたかもしれない。

　また、同様の理由で水は比熱容量も相変化に必要な熱量もエタノールや水銀といった他の物質に比べて概ねけた違いに大きい。すなわち、同じ重さの物質の温度を1度上げたり下げたり、あるいは融解させたり気化させたりするのに多くのエネルギーが必要であり、水は他の物質に比べて温まりにくく冷めにくく、融かすにも蒸発させるにも大量のエネルギーが必要である、ということを意味する。

　そして、水銀ほどではないにせよ、水は表面張力も他の物質に比べて大きい。これは水滴が球形に近くなりやすい、というだけではなく、水が重力に逆らって土壌中の空隙に保持されやすいとか、植物が導管を通じて水を吸い上げやすいといった効果をもつ。

　一方、やはり水分子の強い極性のため、水は大きな比誘電率をもち、塩類などのイオン化しやすい物質ばかりではなく、糖類やアルコール、脂肪酸なども溶解させやすい。そのため、大気の無害有害の構成物質や降下物、風化した岩石の成分、土壌中の有機・無機の物質などさまざまな物質を水の循環は運ぶのである。

　さらに、普通の物質では液体よりも固体の方が密度は高く、凝固した固体は液体の中に沈むのに対し、水は大気圧下では摂氏約

4度（海水は約2度）で密度が最も高くなり、固体の氷は液体の水に浮く。大気との熱交換や放射冷却によって海水のエネルギーがさらに奪われるのを凍った海水、すなわち海氷が緩和するため、海洋や大きな湖沼全体が簡単に凍結してしまうことはない。しかしながら、もし普通の物質と同じように固体の氷が液体の水よりも重かったとしたら、表層で冷やされた水が重い氷となって沈み込み、すぐにほぼ全体が凍ってしまうような事態が生じていたであろう。

水が調節する地球表層環境

　地球全体からみれば微量でも、水は地球に降り注ぐ太陽エネルギー分配と収支に大きな影響を与え、地球表層環境の均衡と変動に対して主要な役割を担っている。

　海洋は地球表層の7割以上を占め、太陽からの短波放射と呼ばれる可視近赤外域の放射エネルギーを吸収し、その大きな熱容量で吸収したエネルギーを蓄え、海洋上の大気を温めている。しかも、海洋循環に伴い、太陽エネルギー吸収量の多い熱帯域から相対的に少ない極方向へとエネルギーを輸送し、地球表層温度の南北差を解消している。

　大気中の水蒸気は主要な温室効果気体であり、地表面からの長波放射と呼ばれる赤外域の放射エネルギーを吸収し、その一部を地表面に向かって再放射するため、地表面から宇宙空間に向かってエネルギーが直接放出されるのをやわらげ、大気がなかった場合に比べて地表面を高い温度に保つ役割を担っている。また、海

洋と同様に、暖かい大気の極方向への輸送と冷たい大気の赤道方向への輸送によって、大気も地球表層温度の南北差を解消する顕熱輸送と呼ばれるエネルギー輸送を担っている。

　さらに、海面や陸面からの蒸発の際に熱を奪い、凝結する際にその熱を放出するため、水蒸気の輸送は潜在的にエネルギーを輸送しているのと同じであり、潜熱輸送と呼ばれる。熱帯収束帯と呼ばれる赤道付近の多雨域に向かって大量の水蒸気が南北両半球から輸送されるため、大気や海洋による顕熱輸送とは異なり、潜熱輸送は両半球の亜熱帯の海洋付近から熱帯と極域の両方に向かってエネルギーを運んでいる。

　太陽からの短波放射を反射して地表面にエネルギーが到達しなくなるため、雲は地球表層を冷やす役割をもつ一方で、長波放射を吸収する温室効果ももち、冬の夜間の放射冷却による地表付近の冷え込みを緩和する役割ももつ。実際には雲の粒径分布や厚さ、さらにはエアロゾルと呼ばれる大気中の塵の影響によって雲が地球表層の温度に及ぼす影響はさまざまであるため、どんな雲がどこにどの程度分布しているかは地球表層の気候形成に大きくかかわっている。

　また、固体の水である雪や氷、特に新雪は可視光の反射率が高く、太陽からのエネルギーを吸収しにくいため融けにくい。そのため、雨ではなく雪として降った場合には周囲を冷涼に保つ効果をもつ。

　飽和している地下水とは異なり、土壌水分は土壌粒子間の空隙に水と空気が混在している不飽和状態の水を指す。地球表層全体の水の総量に占める土壌水分の割合は極めてわずかではあるが、多くの植生はせいぜい数メートルの厚さしかない表層に含まれる

土壌水分を根から吸い上げて葉の気孔から水を蒸散させ光合成しているし、土壌水分が多いか少ないかによって同じ太陽エネルギーの入射に対しても土壌表面からの蒸発量や地表面温度が変わり、周辺環境の大きな決定要因となっている。

水はどこにどのくらいあるのか

地球表層の水は循環していて、その総量は数十万年からせいぜい数百万年といった人間の時間スケールでは変化しないと考えられている。では、地球上の水は、いったいどこにどのくらいあるのだろうか。

第二次世界大戦後の復興と緑の革命や技術革新、さらには植民地の独立に伴って20世紀後半には世界人口が爆発的に増加し、都市への人口集中や灌漑用水需要の増大に伴って水も貴重な資源として認識され始め、世界の水問題解決の科学的基礎を得るために国際連合教育科学文化機関（ユネスコ）は世界各国に呼び掛けて国際水文学10年計画（IHD）を1965年から74年にかけて実施した。その際に当時のソ連の科学者達によって推計された世界の水の貯留量が表1である。

地球表層の水のほぼすべて、約96.5％程度は海水である。総量を面積で割った平均深さの欄を見ると、海の平均深さは約3700メートルだが、もし地球の地殻が平らであったなら、地球は深さ2700メートルの海が広がる惑星となってしまい、今とはまた違った生態系が出来上がっていたことであろう。

地下水のうち、海陸面積に比例しておよそ7割は海洋下で塩分

	面積 (km²)	総量 (km³)	平均深さ (m)	割合 (％)	平均滞留時間
海洋	361 300 000	1 338 000 000	3700.000	96.5390	2500 年
氷河と 永久雪	16 227 500	24 064 100	1463.000	1.7360	1600 年
地下水	134 800 000	23 400 000	174.000	1.6880	1400 年
永久凍土	21 000 000	300 000	14.000	0.0216	10 000 年
湖沼	2 058 700	176 400	85.700	0.0127	17 年
土壌水分	82 000 000	16 500	0.200	0.0012	1 年
大気中の 水蒸気	510 000 000	12 900	0.025	0.0009	8 日
沼地	2 682 600	11 470	4.280	0.0008	5 年
河川水	148 800 000	2120	0.014	0.0002	16 日
生物内の水	510 000 000	1120	0.002	0.0001	数時間
人工貯水池		8000			72 日
地球全体	510 000 000	1 385 984 610	2718	100.00	

表1　世界の水貯留と平均滞留時間
"World water balance and water resources of the earth"(Korzun, 1978, UNESCO)から作成

　濃度の高い地下水だと考えると、地球表層の水の約97.7%は塩水だということになる。さらに、氷河や永久凍土などは利用しにくいとみなせば、湖沼、土壌水分、沼地、河川水など身近で相対的に利用しやすい水は地球表層の水のわずか0.015%程度となる。

　だから地球の淡水資源は貴重なのだ、という論法もしばしば見かけるが、全体に対する割合が小さくとも、資源として必要な量に対して十分にあれば不足はない。まして、採掘して枯渇すればそれ以上使えない化石燃料とは違い、水は循環する資源であり、どこにどのくらい貯まっているかではなく、どこをどのくらい流れているか、というフロー（流量）で評価する必要がある。

世界のどこでどのくらいの雨が降っているのか

　では、地球表層のどこをどのくらいの水が流れているのだろうか。

　水の循環には始めも終わりもないが、我々人類が暮らす陸にとっては、降る雨や雪、降水を起点に考えるのが便利である。

　それでは、世界のどこにどのくらいの雨が降っているのであろうか。

　雨量の定量的な観測は紀元前4世紀のインドに遡る。しかも、1地点の観測ではなく、複数の雨量計による観測網によって雨量を把握し、作付けや収穫などのタイミングの情報提供や雨量に基づき収穫量を推計して徴税額の見積もりに使われていたようであり、パレスチナでも同様の雨量計の記録が紀元前後に残っている。

　時代が下り18世紀には、気候と疫病との関係への関心などにより、雨量データの収集意欲が高まり、各国において観測記録がなされるようになる。それらを統合し、観測密度が低い場所については心眼を使って降雨量の世界分布が描かれるようになった。

　図1はそうした流れを受けて製作された雨量分布図のうち利用可能な最古の平均年降水量の世界地図で、イエール大学のLoomis教授が1882年に発表したものである。比較のため全球降水気候計画（GPCP）による最新の推計値（1979–2015年平均）も示している。ちなみに、雨に比べてさらにさまざまな誤差は大きくなるものの、雪についても雨量計で測定されるのが普通なので、ここでは降雨量と雪も含めた降水量とを同じ意味に用いる。

　年降水量約254㎜（10インチ）ごとの等値線で示していることも

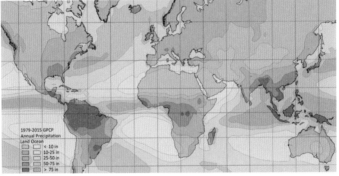

図1　Loomis（1882）および全球降水気候計画（GPCP）による平均年降水量分布
GPCPは1979 – 2015年の平均（バージョン2.3）で、Loomisの図に地図投影や凡例の色や単位
（1インチ＝25.4mm）を合わせ、陸上の分布を比較しやすくするため海洋上の色付けは淡くして
あり、風の効果による雨量計の観測誤差は補正されている（Park et al., 2017, *BAMS*）。

あり、非常に限られた雨量計観測情報に基づいて推計された割に
はLoomis教授の図は、最新の推計値に定量的にも似た分布とな
っている。もちろん、よく見ると、北アメリカやシベリア東部の
極域で過小評価となっており、これは雪のように落下速度が遅い
と横風によって雨量計の捕捉率が下がる影響を受けた観測データ
をそのまま用いているせいだと推察される。また、南アメリカの

アマゾン川流域やアフリカ中央部の多雨域もLoomis教授の図にはない。これらの地域では現在でも地上雨量計観測はきわめてまばらにしかなく、19世紀半ばにはほとんど、あるいはまったく実態が知られていなかったためであろう。

宇宙からの地球観測による降水量推計

　GPCPの雨量分布は、地上雨量計に加えて、人工衛星に搭載されたセンサを用いた宇宙からの地球観測情報を用いて推計されている。

　人工衛星からの気象観測としては「ひまわり」が日本では一番なじみが深いだろう。ひまわりは常に日本域を見渡せる静止軌道上にあり、高頻度観測が可能である。そこで、可視光の波長域における雲などによって反射される太陽光の観測や、熱赤外の波長域における雲頂からの黒体放射を観測したりして、雲の広がりや高さを常時観測できる。欧米などにより同様の静止気象衛星が地球全体をカバーできるように赤道上空に配置され、情報通信網の発達によってほぼリアルタイムで各国間の観測情報が共有されている。

　しかしながら、雲の情報だけではその下でそもそも雨が降っているのかどうか、降っているとしたらどの程度の強さなのかはわからない。雲頂からの黒体放射量が少ないほど背の高い雲で、その下には強い雨が降っている確率が高い、という経験則は知られていたため、静止気象衛星打ち上げ直後の1980年代から月平均降水量の推計にはこうした雲画像情報が用いられているが、瞬時

の雨量分布を求めるのには無理がある。

これに対し、数cm程度の波長のマイクロ波をパルス状に発して戻ってくるまでの時間から雨粒など反射体までの距離を推計し、雨粒からの反射強度などに基づいて雨量に換算するレーダによる雨量観測技術は、地上では1960年代から用いられていた。しかし、人工衛星に搭載可能な大きさのセンサで照射範囲（ビーム）を絞り、実用的な空間解像度を達成するのには技術的な困難があった。

ところが、エルニーニョなど、熱帯海洋上の降水量の変動が全世界の気候に大きな影響を与えていることが判明し、海上も含めて地球表層全体の、特に観測密度が低い熱帯の降雨量を定量的に測る必要性が科学者コミュニティで強く認知され、日米の国際共同プロジェクトとして熱帯降雨観測計画（TRMM）が1980年代から準備され、1997年に衛星が打ち上げられた。

2メートル四方の躯体に128もの素子を並べ、発する電波の位相コントロールによって実効的に細いビームを左右に振ることが可能な衛星搭載降水レーダ（PR）を日本が開発し、4－5kmという地上よりはやや粗い空間解像度ながらも、宇宙から直接雨粒の濃度分布を定量的に測定できるようになったのである。

ただし、PRでは一度の観測幅が200kmあまりと狭く、地球周回軌道ではせいぜい平均して1日に1回程度しか同じ地点を観測することはできなかった。そこで、地表面からの黒体放射のうち、大気を適度に透過し、降水粒子や雲粒子に感度のある微小なマイクロ波域の信号を精度よく測定するマイクロ波放射計がTRMMには同時に搭載され、水の物理的な情報に基づいた降水強度分布が推計されるようになった。

マイクロ波放射計の観測空間解像度は数十km程度と粗いものの、降水強度以外にも大気中の水蒸気量や雲水量、海面水温や海上風速、さらには海氷密接度や積雪深、土壌水分まで推計可能なため世界各国の地球観測衛星に搭載されており、観測データをリアルタイムで世界的に共有しそれらの統合によって毎日10回近い観測が可能となり、時空間変動の激しい降水分布を精度よく観測推計できるようになった。

　今では、地上雨量計のデータに静止気象衛星の雲やその移動情報、マイクロ波放射計、衛星搭載降水レーダに基づく推計値を組み合わせ、ほぼ実時間で世界中の降水量分布がそれなりの精度で作成され、インターネットで配信されるようになっている。

地球をめぐる水

　図2は、そうした宇宙からの地球観測情報に基づいて推計された雨量情報や、水蒸気量、あるいはそうした情報や地上観測データを取り込んだ数値気象予測モデルで推計された風や湿度や気温などの値に基づいて、複数の陸面モデルと呼ばれる数値モデルの算定値を取りまとめた結果に、表1の貯留量を統合した地球をめぐる水循環の概要である。地球上の全降水量のうち、約9割が雨で残りの約1割程度が雪として降っているとか、河川流出量のうち約3分の1が表面流出で比較的早く山の斜面から川に流れ出るが、残り約3分の2は一旦浸透してから河川に出てくる地下水流出であるといった推定値は、陸面モデルの計算に依存した数値ではあるものの、それまでまったくなかった知見である。

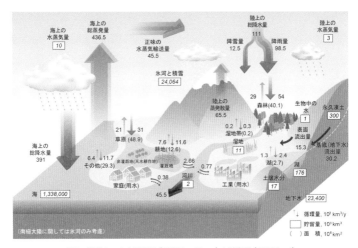

図2　地球上の水文循環量（1000 km³/year）と貯留量（1000 km³）
自然の循環と人工的な循環をさまざまな情報に基づいて統合。大きな矢印は陸上と海洋上における年総降水量と年総蒸発散量（km³/year）。陸上の総降水量や総蒸発散量には小さな矢印で主要な土地利用ごとに年降水量や年蒸発散量を示す。
括弧内は主要な土地利用の陸上の総面積（百万 km²）。河川流出量の約10％と推定されている地下水から海洋への直接流出量は河川流出量に含まれている。
初出 Oki and Kanae（2006, Science）から、農地とその他の面積等数値の間違いを修正したもの。

　また、牧草地や森林といった土地利用別の降水量と蒸発散量など、従来にない推定値が図2では示されているのみならず、人間活動による農業用水、工業用水、都市用水の世界的な取水量が不完全ながらも書き込まれている点も先駆的である。図2が2006年に発表されて以降、最近でも宇宙からの地球観測情報に基づいた推計値が発表されているが、図2はそれらの推計値ともよく整合性は取れており、信頼性は高い。ただし、全世界合わせると7000–8000km³の容量を持ち、河川を流れている水の3–4倍を蓄えることができる人工貯水池が描かれていない点は残念である。

　長期的に貯留量が変化しない場合、その水体に流入する量と出

ていく量（流出量）とは同じはずであり、貯留量を出入りする量で
割ると、水分子がその水体に滞在する時間の平均値が求められる。
これを平均滞留時間と呼び、図2のようにフローが明らかになる
と表1の最後の欄の様に算定可能である。

　海水の滞留時間2500年は降水や周囲の河川から水が海洋に流入
し、蒸発して出ていくまでの平均的な時間であるが、主に海水温
と塩分濃度で決まる密度によって駆動される海洋の深層循環の時
間スケール約2000年とほぼ同じである点は興味深い。

　また、地下水や氷河などは、地表面から浸透したり、雪が氷と
なったりして涵養される速度が遅いため、やはり千年スケールの
平均滞留時間となっている。永久凍土に至っては1万年と推計さ
れていて、一旦永久凍土に取り込まれてしまった水分子は長らく
とらえられてしまうということになる。

　逆に、大気中の水蒸気量はすべて液体水に換算して地球表層に
ならすと約25mm分であり、約1週間程度で全部入れ替わる計算で
ある。

水循環研究のこれから

　ここで紹介したような地球上の水の循環を、その物理的、化学
的性質、生物との相互作用、さらには人間活動に対する応答まで
を含めて包括的に扱う学問を水文学と呼ぶ。宇宙からの地球観測
や情報通信技術の発展、計算機の性能向上などのおかげもあり、
1965年に始まった国際水文学10年計画（IHD）以来半世紀あまり
で水文学は大きく進歩した。

しかしながら、例えば地下水はどこにどのくらいあって、今どのくらい人類が汲み上げていて、自然の涵養量はどのくらいで、河川に流出せずに地下水から直接海に流れ出ている量がどのくらいあるのか、といった実態をわたしたち人類はまだよく理解していない。

　隊列を組んで飛行する人工衛星間の精密な距離測定から微小な重力場分布を推計し、その時間変化から地下水や氷河・氷床の質量変化を宇宙から観測するGRACEという衛星計画のおかげで地下水の季節変動、長期変動は知られるようになってきたが、それでも、絶対量がどのくらいあるのか、我々は知らないのである。

　しかし、そうした水を使う我々によって地球上の水循環が、グローバルスケールでも海水準に数十㎜の変化をもたらすくらいの影響を与えていることは明らかとなり、人間活動も含めた人間―地球系の水循環をこれからの水文学は真正面から対象とする必要に迫られている。

　水文学の発展は、まだまだこれからである。

プロフィール

沖大幹（おき たいかん）

1964年生まれ。1987年東京大学工学部土木工学科卒、1993年
博士（工学）、気象予報士。1989年東京大学生産技術研究所助手、
2006年同教授。2020年東京大学大学院工学系研究科社会基盤学
専攻教授。2016年より国際連合大学上級副学長。表彰に日本学士
院学術奨励賞、生態学琵琶湖賞など。

読書案内

▶ 徳仁親王『水運史から世界の水へ』NHK出版、2019年
　　▷ 天皇陛下が皇太子時代に国内外でされた水と人にかかわる
　　　ご講演などの記録。
▶ 沖大幹『水の未来──グローバルリスクと日本』岩波新書、2016
　年
　　▷ 水問題は何がどう問題で気候変動や社会変化に伴って今後
　　　どうなるのかを丁寧に解説。
▶ 沖大幹『水危機 ほんとうの話』新潮社、2012年
　　▷ 水危機にまつわる虚実を正し、地球をめぐる水と水をめぐる
　　　人々の姿を俯瞰的に記述。

タイムマシンは可能か？
——原子時計とウラシマ効果

鳥井寿夫

　2014年に公開された映画『インターステラー』をご存じだろうか。インターネットサイトのレビューを見るかぎり、おおむね好評価を受けている。筆者もとても感動した作品である。おおまかなストーリーは次の通りだ。環境の異変で人類が地球に住めなくなり、人類が住むことができる新しい星を探さなくてはならない。そういう惑星をハビタブル惑星（ハビットは「住む」を意味する）というのだが、それがよりによってブラックホールの近くに見つかり、そこへ探索に行くというミッションを主人公が担う、という設定である。ここで紹介したいのは、宇宙船で近くまで行き、そこから探査機を使ってこのハビタブル衛星に降りる場面だ。主人公のクーパー船長がハビタブル惑星に降り立った探査機から外へ出るときにクルーにこんなことを言う。「ここの1時間は7年だ。無駄にするな」。つまり、このハビタブル惑星で1時間過ごすと、もう宇宙船や地球では7年が経ってしまう。クーパーたちは3時間探索して、宇宙船に戻る。宇宙船で待っていたクルーにどれだけ時間が経ったかを聞くと、「23年4か月と8日だ」と言われる。そして、なんとか無事に地球に帰ってきてメディカルチェックを受けると、医者から「あなたはもう若くないですからね、あなたはもう124歳です」と告げられる。

これはなにかに似ていないだろうか。そう、浦島太郎の話と瓜ふたつだ。太郎も竜宮城に行き、地上に戻ってきたら700年もの時間が経っていて、玉手箱を開けたら自分も老けてしまったという物語だ。

　『インターステラー』では、ブラックホールはとても重たい天体であり、その近くにいると時間がゆっくり進み、その結果としてブラックホールから戻ってくると、ほかの人は自分より年をとっているという現象が描かれている。この話は、そして浦島太郎も、単純にフィクション（作り話）なのだろうか。以下ではこの問題をみなさんと考えていきたい。

アインシュタインが唱えた質量、周波数、エネルギーの関係

　『インターステラー』のスタッフを見ると、エグゼクティブ・プロデューサーという肩書でキップ・ソーンという名前がある。彼は物理学者の間では非常に有名な人物で、重力波の観測に貢献したという理由で2017年のノーベル物理学賞を受賞している。ブラックホールがふたつあり、それらがお互いの重力で引きあいながらくるくる回って、最後にバンと合体するのだが、2015年に米国の重力波望遠鏡LIGOがそのシグナルを時空の歪みとしてとらえた。これが人類がはじめて観測した重力波になる。

　重力波やブラックホールの話をするにあたって必ず出てくる人物がいる。それがみなさんもよくご存じであろう、アルベルト・アインシュタインである。アインシュタインはアメリカの雑誌TIME誌の表紙を飾ったことがある。そこには、person of the

centuryと書いてある。TIME誌は20世紀を代表する人物として
アインシュタイン、つまり物理学者を選んだ。アインシュタイン
は原子爆弾の原理である核エネルギーを発見したという見方もで
きる。20世紀はある意味、原爆の世紀だったと言えて、そういう
意味でアインシュタインが選ばれたのかも知れない。

　実際にアインシュタインがどういう仕事をしたのかおさらいを
しよう。まずはなんといっても相対性理論だ。まず1905年に特
殊相対性理論を発表した。そこから$E=mc^2$という式が出てくる。
その10年後に一般相対性理論を発表した。これは重力の理論で
あり、その翌年に重力波を予言する。これらがおそらくみなさん
もよく知っているアインシュタインの業績だろう。さらに大学で
物理学を勉強するとアインシュタインの別の顔が見えてくる。そ
れが量子論だ。恐ろしいことにアインシュタインは特殊相対性理
論を発表した1905年、光量子仮説という量子論の重要なアイデ
アも発表している。光量子仮説ではエネルギーと周波数は比例関
係にあるとされる。周波数がfの光は、hfというエネルギーをも
った光の粒のように振る舞うという理論だ。

　それ以外にも、レーザーポインターにも使われているレーザー
の原理を発見し、ボース・アインシュタイン凝縮という珍しい現
象も予言した。これらひとつひとつがノーベル賞級の仕事であ
り、それをたった一人の人間が成したところが、アインシュタイ
ンが偉大と言われる所以なのである。

　本稿では、この$E=mc^2$（mは質量、cは光の速さ）、$E=hf$（hはプラン
ク定数）のふたつの式を使って進めていこう。ふたつの式とも、E
はエネルギーを表す。$E=mc^2$では、Eは質量とエネルギーは比例
関係にあると言っている。一方で$E=hf$では、エネルギーと周波

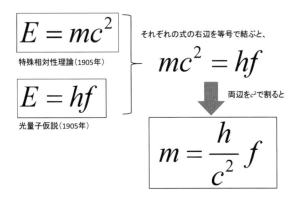

$$E = mc^2$$

特殊相対性理論(1905年)

$$E = hf$$

光量子仮説(1905年)

それぞれの式の右辺を等号で結ぶと、

$$mc^2 = hf$$

両辺をc^2で割ると

$$m = \frac{h}{c^2} f$$

図1　アインシュタインが唱えた特殊相対性理論と光量子仮説に登場する式

数は比例関係にあると言っている。お互い矛盾するようなことを一人の科学者が同じ時期に提案している。両方とも左辺はEであるから、このふたつをイコールで結んだ式も正しいはずである。その式の両辺をc^2で割ってみると、面白い式$m=\frac{h}{c^2}f$が出てくる。c^2は定数で、hも定数なので、質量と周波数が比例するという、これもまた理解しがたい関係式になる。しかしアインシュタインが提唱したふたつの式を信じると、この式もまた信じなくてはいけない。

　まずエネルギーと周波数は比例するという関係を考えてみよう。この話をするのにちょうどいいのが青色発光ダイオード(LED)である。この発明で日本人3人が2014年にノーベル物理学賞を受賞したのだが、その授賞理由には「高輝度で省エネルギーの白色光源を実現可能にした効率的な青色発光ダイオードの発明」とある。白いLEDは最初から白く光っているのではなく、もとにあるのは青色LEDで、その上に黄色の蛍光体が塗られて

いるのだ。なぜ赤や緑ではなく、青い光の発光ダイオードを発明すると、白色光ができるのか。

　高校までの理科では、光は電磁波だということ、光は粒としての性質をもつことを習う。図2は電磁波の種類を示したもので、横軸が波長もしくは周波数を示している。人間に見える可視光線はほんのわずかで、波長にすると400ナノメートルから700ナノメートルに限られる。それ以外にもいろいろな波長の電磁波があり、青い光よりも短い波長のものを紫外線、赤い光よりも長い波長を赤外線と呼ぶことはよく知られている。先ほどのアインシュタインの光量子仮説を採用すると、図の左側に行くほど、つまり赤い光より青い光、可視光よりも紫外線、そして紫外線よりもX線のほうが粒としてのエネルギーが高いことになる。それは本当だろうか。

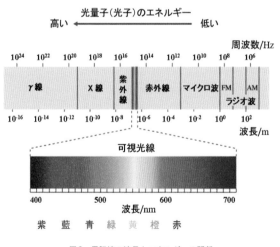

図2　電磁波の波長とエネルギーの関係
光は電磁波の一種

「明るい光＝エネルギーが高い」ではない

そもそもわれわれがどう色を認識するのかを考えておかなくてはいけない。光の三原色というのがあるが、この3というのは人間の網膜にある色を感知する細胞の種類の数で決まっている。主に赤い色に反応する細胞である赤錐体、緑色に反応する緑錐体、青色に反応する青錐体があり、それらがどういう割合で刺激されるかによって、色が認識される。たとえば赤い光と緑の光が目に入れば、黄色と認識される。ぜんぶがだいたい均等に刺激されれば、白と認識される。

アインシュタインの説によると、青い光は図2で短い波長の端にあり、粒としてのエネルギーが高いので、それよりも波長が長く、粒としてのエネルギーの低い黄色や赤い光を生み出すことができる。エネルギー的にそれは許される（逆は許されない）。これが本当かどうか、試す方法を紹介しよう。

注目するのは、光電効果という現象だ。金属に光を当てると、光のもつエネルギーが電子に吸収され、その電子が飛び出てくる。この現象は照射する光の周波数がある周波数より高いときにだけ起きる。とても不思議な現象なのだが、アインシュタインの光量子仮説はこれをうまく説明する。

用意するのは、まず白色LEDの懐中電灯。これは白なので、いろいろなスペクトルをまんべんなくもっている。それと対比させたいのは、除菌ライトとして使われる紫外線ライトだ。このライトは目には見えないが254ナノメートルの電磁波を主に出している。そして大型のはく検電器を用意する。この装置は、簡単に言えば、金属はくの動きで電気の有無が確認できる。装置に帯電し

たものを近づけて、マイナスの電気をためさせる。はくが開いた状態になったところで、白いLEDライトを当てる。明るく見える白色光だが、はくは動かない。しかし、紫外線ライトを当てると、はくが閉じる。紫外線は人間の目には見えない光だが、粒としてのエネルギーが高く、電子をはじき出させたということになる。

　ちなみにほかの光源はどうなっているだろうか。かつては白熱電球というものがよく使われていた。これはフィラメントに電流を流して温めて光を出させる。いまでも多く使われている蛍光灯というのは、これとまったく原理が異なる。中に入っているのは水銀の蒸気で、除菌ライトと同じものである。水銀の蒸気に電子を当てて、254ナノメートルの紫外線を出させて、それを蛍光灯の表面に塗ってある蛍光塗料に当てて、それが白く光るという構造になっている。もともとの水銀からの光も混ざっている。

　ここでそれぞれの光源のスペクトルを示している図3を見てみよう。太陽光は緑色の付近にピークがあるスペクトルをもっている。それに対してろうそくや白熱電球はなだらかなカーブを描いており、主に赤や赤外線で光っている。白熱電球で人間に見える可視光線のエネルギーは、実は消費している電気エネルギーの10パーセントほどで、残りは熱や赤外線になってしまっている。蛍光灯のランプは、254ナノメートルの紫外線で蛍光塗料を光らせているが、水銀由来の発光が可視光の範囲にもあり、スペクトルに鋭いピークが何本も現われている。それでも人の目には白く見える。先に原理を説明したように、白色LEDも基本的には青色LEDの光を使って、黄色を中心とした蛍光体を光らせている。だからある意味、白色LEDは蛍光灯の仲間だとも言える。白色LEDには500ナノメートル付近にスペクトルの大きな谷があるの

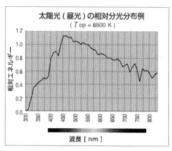
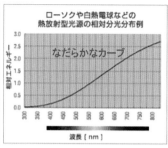
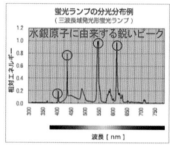
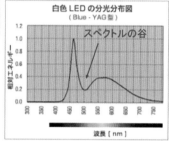

図3　光源ごとのスペクトルの違い
https://www.ccs-inc.co.jp/guide/column/light_color/vol12.html をもとに筆者が作成

がわかるだろう。しかし人間の目には蛍光灯との区別がつかない。

　ホームセンターなどで手に入る分光シートを使って、これらの光源のスペクトルの違いを確認することができる。光は、細かい無数のすき間を通るときに波長によって曲がる角度（回折角）が異なる。それを利用したのが分光シートで、光のスペクトルが分散して見える（図4）。白熱電球、蛍光ランプ、白色LEDの区別がつくかぜひやってみてほしい。コツは、分光シートは目の近くにもってくること、そしてなるべく遠くから光源を見ること。

　蛍光灯はスペクトルがぽつぽつぽつと出ている感じだろう。こ

図4　分光シートを用いた光源のスペクトル観察
左から白熱電球、蛍光灯、LED電球

れが水銀由来の発光スペクトルに対応しているのだ。それに対し
て白色LEDは、青が強く、谷があり、黄色が強い。白熱電球は
特徴的な構造がない。注意して見ると、安価な分光シートでも、
蛍光灯とLED、LEDと白熱電球を見分けることができる。エコ
の度合いをこれで判定できるのだ。

運動するほど、重くなる？

これで$E=hf$という式が表すエネルギーと周波数は比例すると
いう関係はわかっていただけたと思う。

次の$E=mc^2$だが、まずこの$E=mc^2$がどういう歴史で登場したの
かを確認しておこう。この式が出てきたのはアインシュタインの
特殊相対性理論で、それが最初に世に出た論文はドイツ語で書か
れている。筆者は大学の第二外国語でドイツ語を選択したが、結

局今でも読むことができない。幸い英語訳が出ているし、日本語訳も出ているので、興味のある方は読んでみてもらいたい。注目すべきはタイトルで、「運動物体の電気力学について」となっており、相対性理論について、あるいは時間についてなどとは書かれていない。論文の書き出しを見てみよう。「磁石と導体の間に相互に働く電気力学的に働く作用がある。観測される現象は導体と磁石の相対的な運動にのみ依存するはずである」。「磁石が動いて導体が静止しているとき、導体の置かれた場所では電流が発生する」。「一方で、磁石が静止しており、導体が動いているときには導体中では起電力が発生する」。「いま議論している二つの状況における相対的な運動が等価であることを仮定するなら、同じ経路、同じ量の電流が誘起されるはずである」。これは何を隠そう、中学の理科で習う電磁誘導の法則について述べているのだ。この現象は1830年ころにイギリスのファラデーが最初に見つけ、ファラデーの電磁誘導と呼ばれている。コイルに磁石を近づけると電流が流れる。逆に、磁石を固定しておいて、コイルを近づけても電流が流れる。よく理科室に置いてある針が振れる電流計でこの現象を見てみよう。電流計にコイルをつないで、近くで磁石を動かす。すると誘導電流が発生するので、針が動く。このとき磁石を、たとえば左に動かすと、針も左に動く。では、今度はコイルを右に動かすと、針は右に動くのだろうか？　いや、そうはならず、磁石を左に動かしたときと同じく左に動く。アインシュタインは、どうやら自然はどっちが動いたかというのを区別できないようになっているんじゃないか、相対的な運動しかなくて絶対的な運動はないんじゃないかと考えたのだ。その例としてファラデーの電磁誘導の例を持ち出してきたのだ。

論文の続きを見てみよう。アインシュタインはこのように続ける。「すべての観測系において同じ電気力学および光学の法則が成り立つことを指し示していると考えられる」。「これからはこの考えを相対性原理と呼ぶことにする。これを基本原理として採用する」。ここで相対性という言葉が登場する。「またこの基本原理とは、表面上相反する基本原理を採用する。すなわち光は、それを輻射する物体の運動状態によらず、常に真空を一定の速さcで伝播するというものだ」。アインシュタインの提唱した原理はたったこのふたつだけなのだ。そもそも運動に絶対的なものはなくて、運動は相対的なものである。そしてそれと矛盾するようだが、光の速さは誰がどう観測してもいつも同じものである。動いているものが光を出しても、動いていないものが光を出しても、観測すると常に光はcという速さになるのだという。

　このたったふたつの原理を仮定するだけで、いろいろな奇妙なことが導かれる。ひとつはローレンツ収縮といい、動く物体の長さは、止まっている人から見ると縮んで見えるという現象である。また、同時刻の相対性といって、ふたつの出来事が同時かどうかは観測者に依存するのである。たとえば止まっている人が両手をぱっと開く。本人はこれは同時だと思っているが、動いている人にとっては時刻がずれているように見える。

　この論文はのちに、質量とエネルギーは等価だという結論が導かれる論文につながる。すべてはアインシュタインが相対性原理と光速度不変の原理から導き出したのだ。

　$E=mc^2$ を実験して紹介するのは難しいが、身近な例で考えてみよう。たとえばわたしがなにか運動をする。そうするとエネルギーを失っていくので、やせる。これは理解できるだろう。しかし

アインシュタインが示したのは、止まっている状態と動いている状態があるとき、動いている状態のほうが運動エネルギーの分だけ重たくなるということだった。その効果はごく小さく、簡単な実験の形で実感することができないが、原子のレベルに着目すると、ふつうに起こっていることだとわかる。

　たとえば、ヘリウム原子は陽子2個と中性子2個からできている。それぞれの構成要素がばらばらの状態のときの重さはわかっている。そしてそれが4つ集まったものは、もとのばらばらのときよりも軽くなってしまう。実際、太陽のなかでは水素原子が核融合して、ヘリウム原子がどんどん生成されている。そのことによって太陽はどんどん軽くなっており、計算によると1秒あたり約400万トン軽くなっている。

　例があまりに巨大だが、実は中学や高校の理科室に貼ってある周期表を注意深く見ると、$E=mc^2$ を垣間見ることができるのだ。

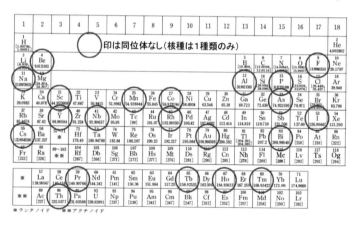

図5　元素周期表
元素記号の上の数値は原子番号、下の数値は原子量を表す。
○印をつけた元素には同位体はない

原子量というのは原子の相対的な重さを表し、炭素12を基準にしている。しかし、炭素には同位体があり、原子量は12ぴったりの整数ではない。では同位体がないものだとどうなるか。同位体がないと原子量の計算は非常にシンプルなのだが、それでも整数にはならない。たとえばナトリウムは22.98になっている。この整数値からのずれは、鉄原子まではどんどん大きくなっていく。これは何を意味しているのかというと、原子を構成している陽子や中性子が合わさっていることによって、どんどんエネルギーを失って軽くなっている、つまり整数値から下がっているのだ。しかし、周期表を見ると、鉄原子以降はまた原子量が整数値に近づいていく。トリウムだと232.03と整数値の少し上になっている。これは原子核がどんどん不安定になっており、そのために重たくなっているのだ。核分裂を起こすと、分裂後の核種の重さの和は、もとの原子核よりも軽くなっている。その分をエネルギーとして取り出すのが、原子爆弾や原子力発電なのである。

原子の超微細構造

　最後の難関、$E=mc^2$ と $E=hf$ の右辺同士を＝で結んだ式 $m=\frac{h}{c^2}f$、質量は周波数と比例するという関係式に取りかかろう。実はこの話をするのに最適なのが、筆者の専門である原子時計である。
　1秒がどうやって決まっているかご存じだろうか。かつては地球の自転や公転の周期で決めていたのだが、現在は原子を使って1秒を定義している。
　1972年、木星の探査を目的としたパイオニア10号が打ち上げ

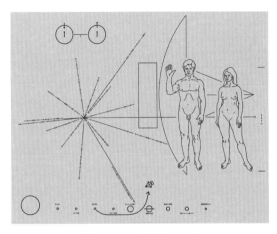

図6　パイオニア探査機の金属板

られた。このパイオニア探査機がユニークなのは、地球外生命体に向けて、地球の文化、文明を伝えることを目的として、絵を描いた金属板が取り付けられたことだ。そもそもそんなことをする意義があるのかという議論もあるかもしれないが、それはともかくとして、当時の科学者は、図6のような絵を選んでこれを宇宙に向けて発した。さて、この左上にある時計のようなマークはなんだろうか。実はこれは水素原子を表している。真ん中にあるのが原子核、その周りをまわっているのが電子で、矢印のように向きがある。実は電子も原子核も磁石としての性質を持っている。電子や原子核にはスピンと呼ばれる自転に相当する向きがある。それが逆向きの時が安定で、エネルギーが低い。そろっていると不安定でエネルギーが高い。そういう構造を水素原子はもっている。これを超微細構造と呼ぶ。スピンの向きの差によるエネルギー差があるわけだが、そのエネルギー差に相当する電磁波をあて

ると、その電磁波が水素原子に吸われる。逆に、水素原子はこれに相当する電磁波を常に放出している。その周波数は1.4 GHz、波長は21 cmで、これはマイクロ波の領域に入る。21 cm線と呼ばれるこの波長を、当時の科学者は長さの基準に使った。水素原子は宇宙どこにでもある。そもそも宇宙の組成の71パーセントは水素なのだ。文明人であれば、水素原子の超微細構造は知っているだろう、またそうであればそれが出している電磁波の波長は知っているだろうと考えたわけだ。それを1として、それの何個分が人間の大きさだと、そういう表現をこの金属板に記した。

　この超微細構造は水素原子に限らずいろいろな原子ももっていて、セシウム原子の超微細構造が、いまの1秒の定義になっている。セシウム原子の基底状態にもやはり、原子核と周りの電子との間に相互作用があり、それぞれが同じ向きのときと逆向きのときとで、エネルギーが分裂している。このエネルギー差に相当するマイクロ波の周波数は、アインシュタインの導いた光子のエネルギー hf で算出することができる。このエネルギー差に相当する電磁波が、9,192,631,770回振動したら、それを1秒とするという定義にした。この定義は1967年から現在まで使われている。

　秒の定義はこのようになっているが、ほかの単位はどうなのかも、参考までに説明しておこう。メートルは、昔はメートル原器というのがあり、それを基にしてきたが、1983年からは光が真空中に1/299,792,458秒間に進む距離と定義されている。アインシュタインの特殊相対性理論で仮定された光速度不変の原理を信じて、光が進んだ距離で決めようという考え方である。このメートルの定義は、光速度を c = 299,792,458 m/s と定義することと同値である。

キログラムはどうか。やはりキログラム原器というのがあり、白金とイリジウムの合金でつくられた分銅で、フランスの国際度量衡局というところに保管されている。そのレプリカが各国に配られ、その国の質量標準として保管されている。日本では産業技術研究所が保管している。1889年から続いてきたこの定義だが、2019年5月19日に、130年の長い役目を終えた。新しい定義は次のようなものだ。「キログラムは質量の単位で、プランク定数の値を$6.62607015 \times 10^{-34}$ J s（ジュール秒）と定めることによって定義される」「ここでメートルと秒は、それぞれ光速度とセシウム原子の遷移周波数で定義される」。つまり、プランク定数は定義値となった。

　そしてこのことがここまでの話題とつながる。アインシュタインのふたつの式から導き出された$m=\dfrac{h}{c^2}f$から、質量と周波数は比例関係にある。光速度は定義値なので、あとはプランク定数さえ定義値にしてしまえば、周波数を測ることによって質量を測る

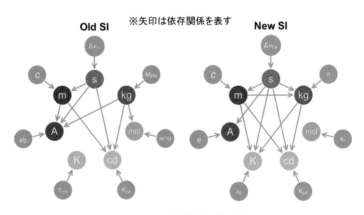

図7　旧SIと新SI（2019〜）の比較

ことができることになる。国際的に定められている単位の体系である「国際単位系 (SI)」における、各基本単位の定義の依存関係を図7に示す。これまでは、キログラムはキログラム原器単独で定義されていたが、いまは秒とメートルとプランク定数から定義される。c がメートルの定義にかかわる。そして周波数を測るためには1秒を決める必要があり、それはセシウム原子の遷移周波数から導かれる。図7を見ると、秒が多くの基本単位の定義に貢献しているのがわかる。このことは、秒の精度がどれだけ高いか、どれだけ信頼されているかということを物語っている。秒はある意味、単位の王様と言える。

究極の時計、光格子時計

　ここでようやく、時間がなぜ遅れるか、低いところの時間がな

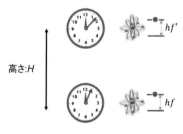

高い所にある励起原子は mgH だけエネルギーが高い

$$mgH = \frac{hf}{c^2} gH = hf\boxed{\frac{gH}{c^2}}$$

この分だけ
周波数が高い

励起原子は光子のエネルギー分だけ質量が大きい

$$E = mc^2 = hf \rightarrow \boxed{m = \frac{h}{c^2}f}$$

高さ:H

地球上では $g = 9.8\text{m/s}^2$ なので、

$$\frac{\Delta f}{f} = \frac{gH}{c^2} \approx 1 \times 10^{-18}/\text{cm}$$

$$f' = f\left(1 + \frac{gH}{c^2}\right) > f$$

高いところの周波数は高い
→高い場所の時計は速く進む

図8　高さによる時間の進み方の違い

ぜ遅れるかという話に移ろう。

原子にはいろいろなエネルギー準位がある。いちばん低いのは基底状態、その上に励起状態がいくつかある。そこで、まず基底状態にある原子を下に置く。原子を持ち上げるとき、そのまま持ち上げるのではなく、励起状態に上げてから持ち上げる。励起状態に上がったということはエネルギーが高いわけだから、その分だけ重たい。それを上に持ち上げると、基底状態で持ち上げる場合より、余計な仕事がかかるわけである。そして励起状態の原子が、持ち上げられてから基底状態に落ちる。そういう原子が放出する光を下で観測するとどうなるか。持ち上げるときにかかった余計な仕事の分だけ、高いエネルギーの光子が下に落ちてくる。その光子のエネルギーが高いということは、その分だけ周波数も高くなっている。周波数が高いということは、時間が速く進んでいるということになる。それが低いところの時間が遅くなるからくりなのだ。

計算式は非常にシンプルで、どれだけ周波数が変化するか、どれだけ時間の進む速さが変化するかという割合は、重力加速度×高さ／光速の自乗、すなわちgH/c^2。このシンプルな式で計算すると、1センチでだいたい10^{-18}だけ変化する（図8）。

これはすごく小さな変化だと思うだろう。しかし実はいまの技術ではこのわずかな変化を測ることができる。それを実現可能にしたのが、東京大学工学部の香取秀俊さんで、光格子時計とよばれる究極の時計を開発している。

ここではおおまかなしくみだけ説明しよう。金属ストロンチウムをオーブンで温めて蒸気にし、そこに6方向から、ストロンチウム原子が吸ってくれる青いレーザー光を照射する。光はエネル

ギーをもっていると言ったが、運動量も持っている。光を吸収した原子は運動量もあわせてもらう。それを何回も繰り返すことによって、原子を冷却することができる。さらに冷却されたストロンチウム原子を、赤いレーザー光の定在波で作った卵パックのような格子状のポテンシャルのなかに閉じ込める。

　香取さんたちは、この格子状に閉じ込められたストロンチウム原子に別の赤いレーザー光を当てて、ちょうどその光を吸ってくれるようにレーザーの周波数を安定化した。まったく同じような装置が東大の本郷キャンパスと、小金井市にある情報通信研究機構にあり、まったく同じことをやる。ふたつの位置の標高を比べると、小金井のほうが56メートル高い。

　それぞれの装置で、ストロンチウムの原子が吸ってくれるような周波数のレーザーを用意する。そのふたつのうちのどちらかを光ファイバーで相手に送って、一致するかチェックする。すると、アインシュタインの計算式のとおりに3ヘルツずれていることがわかった。どういうことか音で説明すると、440ヘルツの音を出す音叉を本郷に置いておく。もう一個、まったく同じ音叉を小金井に置いておいて、鳴らす。同時に同じ音叉で鳴らしてもなにも起きない。ここで音叉に重りをつけて周波数をずらす。周波数が異なるので、うなりが生じる。1秒間におよそ3回のうなりであれば、周波数の違いは3ヘルツとわかる。香取さんたちの実験では、小金井はやはり440ヘルツの音を出しているはずだ。だけど同じく440ヘルツのはずの本郷の音と混ぜ合わせたらうなりが聞こえてしまった。ビートというのはうなりのことで、ふたつの光のビート周波数が3ヘルツであることが観測されたのである。つまり小金井のほうが3ヘルツだけ、同じ原子だけど周波数

が高い、つまり時間が速く進むということを実験的に示せたのだ。

　この実験を東京スカイツリーでやってみようという試みがある。展望台の高さは450メートルとされているが、それは図面上のことで、実際の正確な高さはわかっていない。光格子時計を地上と展望台に置き、それぞれそこから出てきた光をファイバーで混ぜて、ビートを観測する。計測された周波数のずれによって、正確な高さを算出するという試みだ。

　このような高さによる時間のずれを考慮しないと、いまのGPSシステムは成立しない。GPS衛星はただ地球上を回っているのではなく、常に地上とコンタクトをして、自分自身の時計を補正している。日常生活で、スマートフォンを使って自分の位置を調べることができるのは、原子時計が刻んでいる正確な時刻のおかげである。そういう意味で、わたしたちは原子時計の恩恵を日々受けている。そして現在は時間の基準はセシウム原子時計であるが、将来は光格子時計に置き換わると考えられている。

　光格子時計が高さを測るほかに、役に立つ分野があるのだろうか。たとえば地下でマグマが動くと、重力が変わる。重力が変わるとそこの時間の進み方も変わる。光格子時計は、それを検出する重力センサー、地殻変動のセンサーとして働くと考えられる。そういう応用がいま本格的に考えられるようになってきている。測地学や地震学などの分野に時計が意外に貢献するようになるかもしれない。そういうところまでテクノロジーが進化しているということをぜひ知っておいてほしい。

　結局、本稿ではタイムマシンについて具体的な話はしていない。ただ、ここまでの話で時計を遅らせたり進めたりすることは

容易だとわかったのではないだろうか。高いところにいったら、自分の時計は速く進む。もし低いところにいくと、自分だけ遅く進む。それはごくごく小さいレベルだが、日常で起きていることでもある。高低差だけでなく、動くことだけでも時間は遅れる。わたしたちが日々、上がったり下がったり、いろいろな活動をするなかでどんどん時間はずれていっているのだ。その意味で、わたしたちひとりひとりがタイムマシンを背負って生きているようなものなのである。誰ひとりとして同じ時計をもっているわけではない。人生と同様に、あなたの時計はあなただけのものなのである。

プロフィール

鳥井寿夫(とりい　よしお)

東京大学大学院理学系研究科物理学専攻博士課程途中退学。博士(理学)。学習院大学理学部助手、マサチューセッツ工科大学博士研究員を経て、東京大学大学院総合文化研究科広域科学専攻相関基礎科学系准教授。専門は原子物理学、レーザー分光学。

読書案内

▶ ジャンナ・レヴィン『重力波は歌う　アインシュタイン最後の宿題に挑んだ科学者たち』田沢恭子、松井信彦訳、早川書房、2017年

　　▷ 重力波検出に情熱を燃やした物理学者たちの長年にわたる奮闘が生々しく描かれている。

▶ 安田正美『1秒って誰が決めるの？──日時計から光格子時計まで』ちくまプリマー新書、2014年

  ▷ 時計や秒の歴史、正確な時計と社会との関わりについてわかりやすく解説している。光格子時計に関する丁寧な説明もある。

▶ 臼田孝『新しい1キログラムの測り方　科学が進めば単位が変わる』講談社ブルーバックス、2018年

  ▷ 2019年のキログラムの定義改定に至った歴史的経緯や、新しい定義の意義が詳しく解説されている。

光と分子
——分子の形を知る方法、分子の動きを知る方法

長谷川宗良

光と分子

　「光と分子」というタイトルを見た時に、みなさんは何を想像するだろうか。光は太陽からの光、蛍光灯からの光、LEDからの光といったようにごく身近なものとして感じられるのではないだろうか。しかし、光は電磁波と呼ばれる波の一種であり、他の電磁波であるレントゲン（X線）、紫外線、赤外線、電波の仲間であるというと驚くのではないだろうか。また、分子は大変小さな物質であることは想像できるが、その実体を想像するのは難しいのではないだろうか。例えば、水分子は、ふたつの水素原子Hとひとつの酸素原子Oから構成されており、ふたつあるO－H結合の距離は 0.09584 nm（ナノメートル、1nm は 10^{-9} m に等しい）、H－O－Hのなす角は 104.45° である。この極小の分子の形が極めて正確に分かっているということに驚嘆するのではないだろうか。

　現在の情報社会の中では、水分子の形を検索で調べることは容易である。しかし、極めて小さな水分子の形を一体どうやって調べたのだろうという素朴な疑問が生じないだろうか。実はその答えを「光と分子」に求めることができる。さらに、分子の形は固

131

定されたものではなく、形を変え、向きを変え絶えず運動をしている。本稿では、光と分子が出会って起こる現象を説明し、極めて小さな分子の形を知る方法を述べ、さらに、分子の運動について平易に説明したいと思う。

分子とは

　身近な物質である水を考えよう。水は非常にたくさんの小さな粒子からできている。逆に、この粒子を多数集めると、我々のよく知っている水となる。この粒子は、さらに細かい粒子に分割することができるが、ある段階で細かく分割した粒子を多数集めても、水の性質を示さなくなる。多数の粒子を集めて水の性質を示す最も小さな粒子を、水の分子、略して水分子と呼ぶ。

　水分子をさらに細かく分割するとふたつの水素原子（記号Hで示す）とひとつの酸素原子（記号Oで示す）となる。しかし、これらの粒子を単純に集めても水には戻らない。このように物質の性質を保つ最小の粒子を分子と呼ぶが、水分子においてはHがふたつ、Oがひとつから分子ができており、H_2Oと表現する。

　水分子の例で見たように、一般に分子を構成する粒子が原子である。原子も複数の粒子の集合体であり、プラス（正）の電気（電荷）を持つひとつの原子核と、マイナス（負）の電荷を持つ複数の電子から構成されている。原子核が持つ正の電荷と電子が持つ負の電荷が電気的に打ち消し合うことによって原子は電気的に中性となっている。

　原子中にひとつある原子核は、さらに複数の粒子から構成され

ており、正の電荷を持つ陽子と電荷を持たない中性子の集合体である。陽子1個が持つ正の電荷は、電子1個が持つ負の電荷と正確に釣り合っている。原子核中の陽子の個数と原子中の電子の個数は等しく、結果として原子は電気的に中性となる。

　原子核中の陽子の数——これは原子中の電子の数に等しいわけだが——は、原子の性質に大きな影響を与え原子番号と呼ばれる。現在まで原子番号1の水素から原子番号118のオガネソンまでが公式に確認されている。

　次に、1個の水分子の運動について考えたい。水分子を小さな粒子と考えると、前後・左右・上下に動くことができる。これを並進運動と呼ぶ。それ以外の水分子の運動はあるだろうか。分子は点ではなく形を持つ物体であり、回転できる。すなわち分子は回転運動を行う。また、化学結合、水の場合H－O結合が存在するが、原子同士は棒で結合しているのではなく、むしろバネによって結合していると考えた方が良い。このバネが伸び縮みする運動、すなわち振動運動を行う。さらに、分子内に存在する電子も、原子核に近づいたり遠ざかったり運動をしている。これを電子運動と言う。このように分子は静的なものではなく、激しく運動をしているのである。

　では、分子はどれくらい激しく運動をしているだろうか。この指標をあたえてくれる量がエネルギーである。例えば、並進運動であれば、分子が素早く動いていればエネルギーが大きく、ゆっくり動いていればエネルギーは小さいと言う訳である。同様に分子が勢いよく回転していれば回転エネルギーは大きく、ゆっくり回転していればエネルギーは小さい。振動運動と電子運動もそれぞれの運動に伴うエネルギーを持っており、分子の全エネルギー

はこれらの和で表される。

　次にエネルギーの大きさを考えたい。ここで、分子は極めて小さな物体であるため奇妙なことが起こる。それは分子が持つエネルギーは限られた値しか取り得ないということである。例えば、ある分子の回転エネルギーは1、4、9、…という大きさしか許されず、2、3.6、6.2といったエネルギーを持つことができないのである。このように特定の飛び飛びのエネルギーしか取り得ないことを、エネルギーの量子化と呼ぶ。ミクロの物体の大きな特徴のひとつは、このエネルギーの量子化にある。

　例として、炭素原子（C）と酸素原子が結合してできた一酸化炭素（CO）の回転エネルギーを図1に示した。縦軸は回転エネルギーの大きさを波数（cm⁻¹）という単位を用いて表している。波数は、定数をかけることによってエネルギーの単位となるため、原子・分子を扱う際によく用いられる、エネルギーの大きさを表現するための単位である。図中、分子の許される回転エネルギ

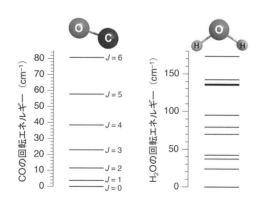

図1　分子の量子化された回転エネルギー

ーを横棒で示してある。また、エネルギーの低い方から順番に J = 0、1、2、3、…と番号を付した。この J は回転量子数と呼ばれ、回転エネルギーの大きさの指標を与える。ここでは分子の回転エネルギーについて説明をしたが、振動運動と電子運動も同様にエネルギーが量子化されている。

光とは

　次に光の性質について説明をしたい。光は電磁波の一種である。では電磁波とは何であろうか。名前の通り電場と磁場の波のことを電磁波という。電場とは電荷に力を及ぼす源であり、磁場は磁荷（磁石のN極S極）に力を及ぼす源である。光と分子のやりとり（相互作用）においては、光が持つ電場が、分子中の電子に力を及ぼすことによって様々な現象が起こる。

　光は電磁波という波であるため、波を特徴付ける量を考えてみよう。波が最も高い場所を山、最も低い場所を谷と言い、山（谷）の位置は時間とともに移動する。山（谷）の移動距離を移動時間で割った量、すなわち1秒間に山（谷）が移動する距離が波の速さとなる。また、ある時刻において空間的な波のスナップショットを考えた時、隣り合う山と山の距離を波長という。一方、特定の場所において波の時間変化を観測した際に、山－谷－山と1回振動するのに要する時間を周期と呼び、1秒間に振動する回数を振動数という。それぞれの単位は、波長は長さであるのでメートル (m)、周期は時間であるので秒 (s)、振動数は1秒当たりなので1／秒 (1/s = Hz ヘルツ) となる。

ある場所において、1秒間に振動する回数が振動数であり、1回振動すると波は波長の長さだけ進むので、1秒間に波は振動数×波長だけ進む。1秒間に進む距離が速さであるので、波の速さ＝振動数×波長の関係が成立する。真空中の電磁波の速さは秒速299,792,458 mであるため、電磁波の振動数と波長は1対1の対応がある。例えば、緑色に見える光は波長500 nmの電磁波であり、その振動数は6×10^{14} Hzである。

　電磁波は波長に応じて特徴が異なるため、波長に応じた特別な名前がつけられている。例えば、波長が数mm以上の電磁波は電波と呼ばれ、テレビ、ラジオ、携帯など我々に身近な機器で用いられる電磁波である。0.8 μm（マイクロメートル、1 μm = 10^{-6} m）−数mmの波長を持つ電磁波は赤外線と呼ばれる。波長が400 nm–800 nmの電磁波は可視光線と呼ばれ、400 nm近辺は紫色、500 nm近辺は緑色、600 nm近辺は黄色、700 nm近辺は赤色の光である。そして、10 nm−400 nmの波長領域の電磁波は紫外線、波長10 nm以下の電磁波はX線、γ線と呼ばれる。このように、目に見える光は電磁波のひとつの領域にしか過ぎず、電波、赤外線、紫外線などと本質的な相違はない。このため、光と言った場合に必ずしも目に見える可視光線のことではなく、電磁波のことを指すことがあり、以下では光は電磁波の意味として使うこととする。

　次に光の持つエネルギーを考えよう。特に、ある特定の振動数を持つ光のエネルギーを考える。光のエネルギーを小さくすると何が起こるであろうか。光のエネルギーを小さくしてゆくと、これ以上小さくできない最小のエネルギーに行き着く。すなわち、光のエネルギーには最小単位があり、これを光子という。明るい光は大きなエネルギーを持ち、暗い光は小さなエネルギーを持

つということは直感的に明らかであろう。光子1個のエネルギーは、定数×光の振動数によって与えられることが知られていることから、明るい光は、多数の光子を含み、一方、暗い光は含まれる光子の個数が少ないものとして解釈される。ここで定数は、6.626×10^{-34} J s でありプランク定数と呼ばれる。例えば、波長500 nm の緑色の光のエネルギーの最小単位、すなわち光子1個のエネルギーは、4×10^{-19} J である。100 W の緑のランプからは1秒間に100 J のエネルギーを放出しており、そこには 2.5×10^{20} 個の光子が含まれることになる。

光と分子

　分子に光を照射すると何が起こるかが本稿のテーマである。光は電磁波であり振動する電場を伴っている。電場とは電荷に力を及ぼす源のことである。このため、分子に光を照射することによって、光の振動する電場が分子中の電荷である電子と原子核に力を及ぼす。ただし、電子は原子核に比べて非常に軽いため（電子の質量は 9.109×10^{-31} kg、水素原子の原子核の質量は 1.672×10^{-27} kg）、実質的に光により影響を受けるのは電子である。つまり、分子中の電子は光の振動する電場によって周期的な力を受け振動をすることになる。このような振動する電子は、電磁波を放出することが知られている。つまり、光は電子を振動させ、振動した電子は光を放出するのである。これは、光の散乱と呼ばれ、光の散乱によって空が青いことや、光の屈折といった多様な現象を説明できる。しかし、この面白く壮大な光の散乱については取り扱わず、

ここでは光と分子のエネルギーのやりとりを考えよう。

　光のエネルギーは、その最小単位として光子が担っており、光子1個のエネルギーは、光の振動数に比例する。そして、分子のエネルギーは量子化されており、いくつかの特定のエネルギーしか取り得ない。これらと、エネルギーは生成も消滅もしないというエネルギー保存則を考慮すると、分子のエネルギー差と光子1個のエネルギーが合致した時に、分子は光を吸収すると考えられる。これは事実であり、光を分子に照射すると、分子のエネルギー差に一致した振動数（もしくは波長）を持つ光子1個が吸収される。吸収されたひとつの光子は消失し、光子の持っていたエネルギーは分子へ受け渡される。

　例えば、緑に見える木々の葉は、様々な波長の光を含む太陽光が葉に当たり、葉に含まれる分子（クロロフィル分子）が赤と青の波長の光を吸収することによって、吸収されなかった緑の光が反射し緑色に見えるわけである。この時、吸収された光子のエネルギーは分子中の電子が持つエネルギーへ変換される。

　また二酸化炭素（CO_2）は、4.3 μm、15 μmの波長の光（赤外線）を吸収する。吸収された4.3 μmの光子のエネルギーは $O-C-O$ の角度を変化させる振動のエネルギーへ変換される。波長15 μmの赤外線の吸収では、片方の $C-O$ 結合が縮み、もう片方の $C-O$ 結合が伸びる振動運動のエネルギーへ変換される。

　このように、光を吸収する波長は、分子の種類により決まっている。多くの場合、紫外線−可視光線の吸収により分子中の電子のエネルギー、赤外線の吸収により分子の振動エネルギー、電波の吸収により分子の回転エネルギーへ変換される。

分子の形を知る方法

　分子が吸収する光の波長は、分子の量子化されたエネルギー差で決定されるということが前節での話であった。では、分子のエネルギーの差を決めるのは何であろうか。実は、分子のエネルギーには様々な因子が寄与するが、分子の形がその因子のひとつなのである。

　図1に示したCOの回転エネルギーについて考えてみよう。理論的にCOの回転エネルギーは、回転量子数Jを用いて$BJ(J+1)$という式によってかなり正確に表現できる。ここで、Bは分子の性質を反映した回転定数と呼ばれる量である。例えば、$J=0$と$J=1$のエネルギー差は$2B$であり、$J=1 \leftarrow 0$へ変化する際に吸収する光の波長を測定することによってBの値を実験的に知ることができる。COは$J=1 \leftarrow 0$の変化に伴い、波長2.60074 mmの光を吸収する。そこから$B = 1.92253$ cm^{-1}が得られる。空気の大部分を占めている窒素分子（N_2）では$B = 1.98958$ cm^{-1}、最も軽い分子である水素分子（H_2）では$B = 59.043$ cm^{-1}である。このように回転定数Bは分子に応じて様々な値を取る。理論的な解析から回転定数は、分子の質量と結合距離に依存することが示される。分子の質量はよく分かっているため、回転定数から分子の結合距離を決定できる。つまり、光と分子の相互作用を元にして、分子の構造（結合距離）を知ることができるのである。このようにして、CO、N_2、H_2の結合距離は、それぞれ0.1128 nm、0.1098 nm、0.07414 nmと知ることができる。この解析に必要な光の吸収波長の測定例を図2に示した。図はNO分子を対象とした結果で、縦軸は光の吸収量、横軸は光の波長となっており、様々な波長の光

を吸収することを見て取れる。

　これまでは、CO、N₂、H₂、NOといった簡単な分子を取り上げてきたが、水分子H₂Oの形も同様に決定できる。水分子の量子化された回転エネルギーを図1に示した。先ほどの例と比べると規則性のない複雑なパターンとなっており、もはや単純な式ではエネルギーを表現できない。しかし、水分子に吸収された様々な波長を解析することによって、水分子の構造を知ることができる。

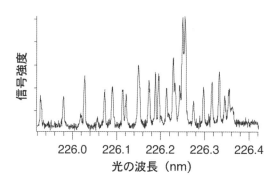

図2　NO分子のスペクトル

分子の動きを知る方法

　これまで分子の形を知る方法について述べてきたが、光を用いると分子の動きも観測できる。分子は小さな物体であり、素早い運動をしている。分子の回転はピコ秒程度（1ピコ秒は10⁻¹²秒）、振動はフェムト秒程度（1フェムト秒は10⁻¹⁵秒）、電子はアト秒程度（1アト秒は10⁻¹⁸秒）で運動をしている。これらの運動を直接観測でき

るようになったのはごく最近であり、超高速の分子運動の観測によって、アハメッド・ズウェイル先生は1999年のノーベル化学賞を受賞した。

　このような超高速の運動はどうやって測定されるのであろうか。その答えを、我々の身近な現象であるボールの自由落下運動の観測方法に求めることができる。この測定では、手に持っているボールを離し落下させ、その後、一定時間を置いて閃光（ストロボ）を照射し写真を撮影する。このような撮影を、ストロボを照射するタイミングを変えて繰り返し行うことによってボールの落下運動を追跡できる。ここで重要なことは、ストロボが光っている間にボールが動いてはダメで、逆に言うとボールが動かないとみなせるほど短い時間だけ光るストロボを用いなければならない。さもないと、静止したボールとして撮影されず、時々刻々変化するボールの運動を追跡できない。

　分子運動の計測も、ボールの動きを測定する方法と全く同じである。このためにふたつの光を用いる。第1の光は、ボールから手を離すことに相当し、分子運動の誘起と時刻0を設定するための光である。このために用いられる光をポンプ光と呼ぶ。ポンプ光を分子へ照射後、時間を置いて第2の光を照射し、分子の向きや形を測定する。このための光をプローブ光と呼ぶ。そして、ポンプ光とプローブ光の時間差を様々に変化させ測定を繰り返すことによって、分子運動を追跡できる。

　この時に重要なのは、分子の運動が無視できる一瞬だけ光る光が必要となる点である。分子の回転・振動・電子運動の時間がピコ秒、フェムト秒、アト秒程度であることから、少なくともそれぞれの運動を観測するためには、ピコ秒、フェムト秒、アト秒の

一瞬だけ光る光が必要となる。このような一瞬だけ光る光をパルス光と呼ぶが、現在到達できている最短のパルス光は43アト秒である。

　分子運動の観測例として、フェムト秒パルス光を用いた回転運動の結果を見てみよう。図3はポンプ光として100フェムト秒のパルス光を用いて時刻0に直線構造のアセチレン分子（C_2H_2）の回転運動を誘起させ、回転運動を追跡した結果である。この実験では、ポンプ光照射後、一定時間を置いてプローブ光を照射して分子軸の向きを測定した。すなわち、ポンプ光により回転運動を誘起し、その後の回転運動をプローブ光によって追跡したことになる。ここでは、1個1個の分子の向きの測定ではなく、多数の分子集団を観測している。図の縦軸は、上方に信号が現れると横向きの分子が多く、下方に信号が現れれば縦向きの分子が多くなる

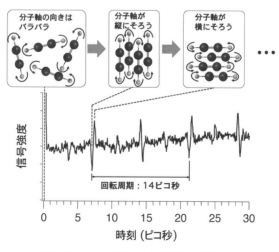

図3　アセチレン分子（C_2H_2）の回転運動の計測結果

量を表し、横軸はポンプ光とプローブ光の時間差である。実験結果にはいくつかのスパイク状の信号が周期的に観測されている。例えば、時刻6.9ピコ秒に下向きの信号が現れ、分子の大部分が縦向きに揃っていることが分かる。これは、ポンプ光によって分子回転が誘起されるが、個々の分子は異なる速度で回転し、たまたまこの時刻に多くの分子が縦に揃ったのである。同様に、時刻7.3ピコ秒に上向きの信号があり、この瞬間に分子は横に向いていることが分かる。これらの信号は14ピコ秒の周期で現れており、ここからアセチレン分子の最も遅い回転は14ピコ秒の回転周期を持つことが分かる。さらに、分子の回転周期は分子の構造を反映しており、回転周期の測定から分子構造を決定することも可能である。

高強度光科学

　光と分子の相互作用を通じて分子構造を決定できるという話をし、そして分子運動を追跡するために短時間のパルス光（短パルス光）を用いることを説明した。短パルス光を用いると、光のエネルギーを短い時間に集中させることができ、さらにレンズや鏡を用いて空間的にもエネルギーを集中させることができる。時間・空間的に光のエネルギーを集めると、一瞬ではあるが非常に強い光、すなわち極めて大きな電場強度を持つ光の発生が可能となる。では、このような高強度光を分子へ照射すると何が起こるであろうか。光の強度を増すと、分子が2個の光子を吸収し始める。さらに強度を増すと多数の光子を吸収する。そして、非常に

強い強度の光の中では、分子は多数の光子を吸収・放出し、光子を用いた考え方の見通しが悪くなる。このような非常に強い光と分子の相互作用では、光の電場と分子中の電子が直接相互作用する描像が良いものとなる。分子中の電子は原子核から力を受けて束縛されており、それによって分子の形は決定づけられているが、光の照射により、電子は光の電場と原子核の両方から力を受けることになる。光から受ける力が、原子核から受ける力を凌駕すると、電子は光の電場から受ける力に支配され、激しく振動し本来の分子の性質と異なった性質を示す。例えば、CO_2分子は通常は直線型であるが、強い光の中では曲がった形になることが明らかにされている。このような高強度光の中で分子がどのような性質を示すのかは、現在研究が行われているところである。

　さらに、電子運動を追跡するにはアト秒のパルス光が必要であると述べたが、アト秒の光を発生させるためには、高強度光が必要である。つまり、光の立場では短パルス光の発生と高強度の光の発生は密接に関連しており、これらの光を用いると短パルス光による超高速運動の測定や高強度光中の分子の性質を調べることができる。このように物理・化学・工学といった様々な分野が一体となった新しい研究が精力的に行われており、2018年にはアト秒の光を発生するための基盤技術である高強度光の発生方法に対してジェラール・モーロー先生とドナ・ストリックランド先生がノーベル物理学賞を受賞し（同時に光ピンセットの開発に対してアーサー・アシュキン先生が受賞）、高強度光科学の分野のさらなる進展が期待されている。

プロフィール

長谷川宗良（はせがわ　ひろかず）

1974年生まれ。東京大学大学院理学系研究科化学専攻博士課程修了。博士（理学）。理化学研究所、分子化学研究所を経て、現在、東京大学大学院総合文化研究科准教授。専門分野は高強度光科学、分子分光学、物理化学。

読書案内

▶ G・ヘルツベルグ『分子スペクトル入門——フリーラジカルのスペクトルと構造』奥田典夫訳、培風館、1975年

　　▷ 1971年にノーベル化学賞を受賞した分子分光学の大家が書いた分光学の入門書。やや難しいが分光学の雰囲気を感じ取れる1冊。日本語版は絶版だが、英語版は現在でも購入できる。

▶ 広田栄治、遠藤泰樹『分子 その形とふるまい』大日本図書、1990年

　　▷ この本も絶版であるが、分子を理解するための量子力学の初歩から始まり、分子の形をどのように決定できるか平易に書かれている。実験データも豊富に掲載されており、研究を身近に感じられる1冊である。

▶ 日本化学会編『強光子場の化学——分子の超高速ダイナミクス』化学同人、2015年

　　▷ 強い光によって引き起こされる化学現象について最先端の研究をまとめたもので、現在進行形の研究を肌で感じられる。近年活発に研究が進められている高強度光を利用した化学研究の今後の展開を感じられる1冊。

生命の行方を
たずねる

化学から生物学、その融合領域で楽しむ
——幹細胞の機能を制御・診断する高分子化学の紹介

吉本敬太郎

研究室の立ち上げ

　2020年の3月で、研究室を主宰する立場（Principal investigator , PI）となってちょうど10年が経過する。

　学部・修士課程は工学部・工学研究科、その後理学部に転科・進学し、博士（理学）を取得した。学生時代の専門は、低分子や生体高分子を対象とする分析化学であった。理化学研究所に2年、筑波大学で4年、色々な方と質の高い環境で研究を行う機会に恵まれ、合成高分子化学と細胞工学（主に肝臓細胞）の研究に携われたことは、自分の研究の幅を広げる大変幸運な経験であったと同時に、自身が学生時代に過ごした分析化学という分野を見つめなおす良い機会でもあった。

　その後、現所属先にPIとして赴任し、学生不在のなか初年度が過ぎ、次年度には2名の学生が、さらに翌年には学生に加えて日本学術振興会特別研究員（PD）がラボメンバーとなる幸運などが重なり、徐々に研究室が賑やかになっていった。本稿は、研究室立ち上げ時に行った研究の話である。

間葉系幹細胞（MSC）の研究をやりたい！

　京大の山中伸弥先生が iPS 細胞でノーベル賞を受賞されたのが、私が東大に着任した 2010 年の頃で、天邪鬼な私は「幹細胞を扱う研究は行ってみたいが、iPS 細胞は流行りモノのようで嫌だ」と思い、色々調べているうちに間葉系幹細胞（mesenchymal stem cell, MSC）という体性幹細胞なるものが存在することを知った。以下は、私が理解している範囲での、各幹細胞の特徴をまとめた表になる。

	ES 細胞	iPS 細胞	MSC
分化能	多能性 （内・外・中胚葉すべて）	多能性 （内・外・中胚葉すべて）	基本的には 中胚葉の細胞 （外・内胚葉細胞への 分化も、一部報告さ れている）
拒絶反応	あり	なし	なし
倫理的問題	あり	なし	なし
がん化リスク	極めて低い	あり	極めて低い

　iPS 細胞を"人工の幹細胞"と表現すれば、MSC は"天然の幹細胞"といえる。iPS 細胞は、成熟皮膚細胞などに外来性の遺伝子を導入することで強制的に未分化状態にした細胞である。外胚葉、内胚葉、中胚葉すべての細胞に分化できる多能性と呼ばれる優れた分化能が魅力的であるが、分化可塑性やがん化の危険性があり、iPS 細胞の実用化は「がん化リスクの低減と未分化細胞の排除」にかかっている。

　一方、MSC の最大の魅力は安全性にある。骨髄、脂肪組織、筋肉組織などに MSC は存在し、各組織から MSC を抽出・分離す

るだけで同幹細胞を利用することができる。初期化処理がないため、がん化のリスクは極めて低い。ただ、すでに中胚葉系に分化が進んだ幹細胞であるため、基本的には骨芽、軟骨、脂肪、筋肉などの中胚葉系の細胞に分化先が限定される。外来性遺伝子の導入に依存しない安全な手法で MSC の分化能を拡大することができれば、iPS 細胞に代わる医用幹細胞ソースとなる可能性がある。

培養足場を利用する MSC の分化制御

　遺伝子を導入・改変することで細胞機能を変化させるというアプローチは、生物学の分野ではもはや常套手段である。しかし、上述した通り、MSC の最大の特長は安全性にある。MSC の機能を遺伝子操作で改変することは、MSC の特長を失うアプローチであるため、生体内に細胞を導入することを前提としている再生医療の分野においては悪手であると、化学者である筆者は感じた。

　幹細胞の分化を安全に制御する方法については、2006 年のEngler らの報告[*1]に重要なヒントがある。彼らは同じ材料であるが、異なる硬さをもつ高分子材料表面で MSC の分化挙動を解析した。その結果、柔らかな表面上では神経細胞（外胚葉）に、硬い表面上では骨芽細胞（中胚葉）に、中間の硬さをもつ表面では筋細胞（中胚葉）に分化方向性が変化することを発見した（右図）。つまり、細胞の外部環境を造り込むことで MSC の分化制御が可能であることを初めて示した。特に胚葉が異なる神経細胞への分化が注目に値する。外部環境や足場を造り込んで細胞機能を制御するという手法は、遺伝子操作に大きく依存する従来のアプローチよ

りも安全で、化学専門の研究者が得意とする非生物学的なアプローチである。

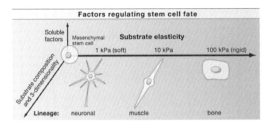

※*Cell*, 126 (4), 645–647 (2006) に掲載された図を、許可のもと転載

合成高分子修飾マイクロパタン培養皿を用いる細胞塊形成

　設立 2 年目に研究室に入ってきた学生が、マイクロパタン培養皿（下図）を用いて MSC のひとつである脂肪幹細胞（ADSC）の凝集塊形成条件を見つけてくれた。マイクロパタンを用いる凝集塊形成は細胞の三次元培養法のひとつであり、生体外で細胞機能を高める常套手段のひとつである。本マイクロパタン培養皿も、細胞の足場を化学的手法で構築するアプローチである。筆者は筑波大学時代にマイクロパタンを用いる肝臓系細胞の凝集塊形成に関する研究に携わっていたため、同培養法を MSC に適用すると、どのようなことが起こるのか興味があった。

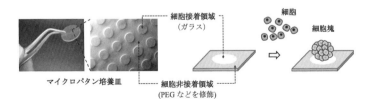

マイクロパタン培養皿はポリエチレングリコール（PEG）などの
タンパク質吸着抑制能の高い合成高分子を修飾したガラスやポリ
スチレン基材表面上に、電子線、UV照射、マイクロコンタクト
プリント法などを用いてマイクロメートルオーダーの細胞非接着
領域を作製したものである。一細胞または細胞群の接着形状を任
意の形に変形可能な機能性培養皿で、例えば、先の図のような細
胞接着性領域が円形のマイクロパタン上に細胞濃度をやや高めに
設定して播種すると、細胞塊の形成が確認できる。古典的な手法
である旋廻培養法やハンギングドロップでも細胞塊は形成可能で
あるが、マイクロパタン培養法の特長は、小さくて均一な大きさ
をもつ細胞塊を一度に大量に作製でき、低酸素環境の影響を最小
限に抑えられる点にある。[*3]

細胞塊形成が幹細胞の分化誘導時間を短縮化する[*4]！

　ADSC の凝集塊形成条件を見つけた学生が、凝集塊形成後に
骨芽分化誘導を行ったところ、大変興味深い現象を見出した。下
図は、単層培養とマイクロパタン上で細胞塊培養した ADSC を

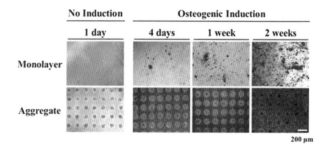

骨芽細胞に分化誘導した後、分化した骨芽細胞が出すカルシウムをアリザリンレッド S で染色した結果である。単層培養だと約 2 週間ほどの誘導期間が必要であるが（左図 Monolayer）、マイクロパタン上で細胞塊を形成させた ADSC はすでに 4 日目で大量のカルシウムを放出していることがわかる（同図 Aggregate）。RunX2 などの骨芽関連遺伝子の発現量も増大していたことから、細胞塊になることで ADSC の骨芽分化が遺伝子レベルで大幅に促進されるという、大変興味深い現象が見つかった。

　本現象を考察するため、凝集塊の分化誘導前の遺伝子発現量を、細胞の蓄積レベルを変化させて調査した。その結果、細胞蓄積量（3D Accumulation Levels）が大きくなると骨芽細胞分化関連遺伝子である RunX2 と ALP の発現量が増大し（下図 A・B）、脂肪細胞分化関連遺伝子である PPAR γ と C/EBP α の発現量が変化なし、または減少することがわかった（下図 C・D）。つまり、ADSC 細胞塊の蓄積量を制御することで、誘導前から骨芽細胞分化に有利な遺伝子発現状態を作り出すことができた。本結果は、高分子

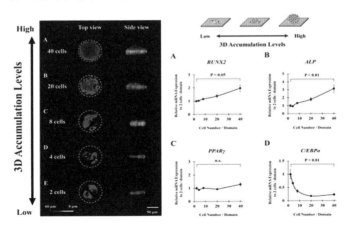

足場材料を用いて MSC の骨芽細胞分化制御を達成した好例で、幹細胞分化における足場の重要性を再認識させる成果であった。

幹細胞の非破壊的分化診断とセクレトーム

　幹細胞を再生医療や疾患モデルとして使用する場合、細胞が未分化状態を維持しているか、あるいは目的の細胞に分化が進んでいるかを精度良く管理・把握する必要がある。ウエスタンブロット、免疫染色やRT-PCRのような手法では、マーカ分子・遺伝子の染色や抽出を要するため、有効なマーカ分子が存在しない場合は細胞を適切に評価することができない。加えて、染色や抽出の際に細胞を損傷させてしまうため、評価を行った細胞自体を利用することが困難という問題がある。幹細胞の分化/未分化状態を外側から非侵襲的に診断することができる分析法の開発は、高精度な品質管理を行う上で大きな意義がある。

　研究室設立 3 年目に学振 PD が幸運にもラボメンバーに加わった。人間的にも研究者としても素晴らしい素養をもった人で、彼と一緒に研究を進めるうちに、細胞分泌液を利用する非侵襲的細胞診断法の可能性を議論するようになった。細胞や組織などに存在しているタンパク質の総体をプロテオーム（Proteome）と呼び、特に細胞から分泌されるタンパク質の総体のことをセクレトーム（Secretome）と呼ぶ。右ページの図に示すように、細胞を増殖・伸展させる物質として知られている成長因子は、主に間質系の細胞から分泌されるタンパク質成分である。また、腫瘍細胞から特定のタンパク質が分泌され、血液中に一定量現れるようになる。健

康診断の際に用いられる腫瘍マーカは、この腫瘍からの分泌タンパク質を検出している。つまり、セクレトームは細胞の機能制御に深く関わる液性因子であると同時に、細胞自身の個性を表現する重要な情報源として捉えることができる。

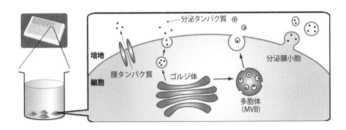

　細胞外に放出されるセクレトームを精度良く簡単に分析・診断することができれば、生きた状態のままで特定細胞の同定、さらに異なる環境下におかれた同種細胞間の状態識別が、細胞を破壊（染色・固定化・すり潰しなど）することなく可能となる。ただし、各細胞に固有の単一タンパク質マーカが必ず存在する保証はない。その場合、従来の一般的なアプローチは、セクレトーム内の複数のタンパク質を分析し、いわゆるマーカータンパク質の組成や量を明らかにするというものであった。タンパク質の分析技術は日々進歩しているものの、二次元電気泳動や質量分析装置を駆使して各細胞固有の分泌タンパク質の同定、さらに複数種の分泌タンパク質間の量的関係性に関する知見をコツコツと蓄積し、細胞情報との相関係を見出すという作業は、想像以上に多大な労力と時間が必要になる。セクレトームがもつ情報を一度に迅速に抽出・活用するためには、従来のアプローチとは全く異なる視点からの発想が必要であると我々は考えた。

酵素 / 合成高分子の複合体を利用するセクレトーム分析の提案[*5]

　細胞が分泌するセクレトームの情報を一般的な機器で短時間のうちに抽出し、細胞を非侵襲的に簡便に識別する分析システムの構築に取り組み始めた。この場合、セクレトームの情報をどのように包括的に読み取るかが鍵となる。我々が利用したのは、"酵素 / 合成高分子のポリイオンコンプレックスによる非特異的な分子認識"である。ポリエチレングリコール（PEG）のポリカチオンブロック共重合体をアニオン性の酵素に作用させると、酵素を凝集・沈殿させることなくコンプレックスを形成することができる。その際、下図 A に示すように、酵素活性を自在にスイッチすることも可能となる[*6]。対の電荷をもつ酵素と PEG ブロック共重合体を選択し、水溶液中で多点的な静電相互作用を介してポリイオンコンプレックス（PIC）を形成させる。PIC を形成すると酵素の触媒活性が OFF になるが、ブロック共重合体と反対の電荷をもつイオン性高分子を加えると、酵素が PIC から遊離するために再び酵素活性を ON にすることができる（下図 B）。ラボメンバーとなった学振 PD のポスドクは、学生時代から本原理を利用する酵素活性制御の研究を展開し、また筑波大学時代に私は彼と共同研究を行っていたため、PIC に関する十分な知見があった。

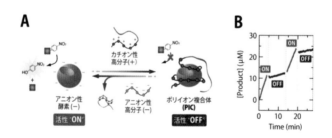

我々が考案した細胞診断の原理はとてもシンプルである。上述した PIC の系で酵素活性を ON にするためのイオン性高分子の代わりにセクレトームを用いれば、同様に酵素活性が一部 ON になるのではないかと考えた。さらに、異なる種類の酵素と合成高分子からなる PIC は、セクレトームに対する親和性の傾向も異なるはずである。つまり、異なる種類の酵素／合成高分子からなる PIC に対して各細胞のセクレトームを反応させることで、各細胞固有の"酵素活性回復量のフィンガープリント"が獲得できると考えた（下図）。酵素と合成高分子を組み合わせて作り出した様々な PIC の非選択的な酵素活性回復量を、汎用機器である吸光分光器で測定後、集約することで細胞固有の指紋情報を獲得する、という戦略である。単一マーカを探索して選択的に結合する分子を利用する従来法とは、大きく異なるアプローチである。

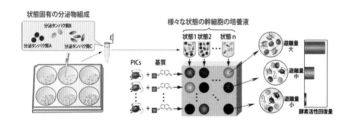

酵素 /PEG PICs と多変量解析を利用する
間葉系幹細胞の未分化 / 分化診断

　次ページの図に示すアニオン性の酵素とカチオン性の高分子を適切な濃度で混ぜ、PIC を調製した。計 6 種の PIC を用いて色々なタンパク質溶液に対して適用したところ、高い精度でタンパク

質溶液の判別ができることがわかった。[*7] そこで、ADSC を単層培養で骨芽細胞および脂肪細胞に21日間かけて分化誘導した後に培養液を採取した。この培養液を PIC ライブラリによって分析した結果が下図左にある棒グラフになる。各 PIC は、未分化細胞、骨芽誘導細胞、脂肪誘導

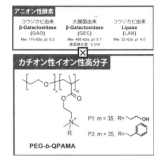

細胞に対して独特の酵素活性回復量を示し、各細胞に固有の回復量パターンを示す結果となった。多変量解析のひとつである線形判別分析を適用し、六次元からなる同パターンデータの差異を視覚的にわかりやすくするため、二次元の判別スコアプロットに変換した。下図右にある判別スコアプロットからもわかるように、ADSC の未分化、骨芽分化、脂肪分化状態を、培養液を用いて識別できることがわかった。本分析法は細胞を破壊・染色せずに、汎用機器である分光器を用いて分析した細胞を、そのまま次の別の実験に用いることができるという点に大きな特長がある。

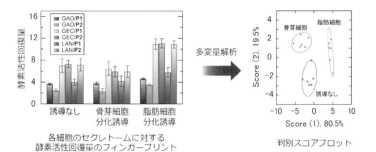

各細胞のセクレトームに対する
酵素活性回復量のフィンガープリント

判別スコアプロット

大学で研究する喜び

　本稿で紹介した研究は、MSC を外側から制御・診断するというコンセプトのもと行われたもので、貴重な幹細胞を安全に、また無駄なく利用するために発案されたものである。すべて化学と生物学の境界領域の研究で、研究室創設時のメンバーと立ち上げた大変思い入れの深いテーマばかりである。骨芽分化促進現象の発見は菊池有夏さん（現神奈川県高校教員）が、脂肪分化の調査は坂尾美帆さん（現東大 TLO 職員）が、細胞蓄積量に伴う遺伝子発現量変化の発見は古旗祐一さん（現産総研研究員）が行ってくれた。また、セクレトームを利用する分化状態の識別に関する研究は、冨田峻介博士（現産総研研究員）との成果である。

　大学における研究は、学生に対する教育を並行して行う。彼らが研究室に在籍する短い期間のなかで研究を進めるということはかなり大変な作業である。一方で、学生の急成長や予想もしないアイディアに出会える機会があることは、とても大きな喜びでもある。下の画像は、一期生である菊池さんから卒業時に頂いたメッセージカードで、教員・研究者として色々な面で力不足を感じていた当時の私を励ましてくれた（先日、結婚式に招待され、祝辞の挨拶をしてきたところである）。このような学生と一緒に研究を行えることが、大学で研究する喜びのひとつであろう。

　研究室の立ち上げという難しい環境の時期に、私と共に成長し、粘り強く研究を進め、素晴らしい成果をもたらしてくれた彼らに、この場を借りて深く感謝する次第である。

註

*1 A. J. Engler, S. Sen, H. L. Sweeney, D. E. Discher, *Cell* 126, 677–689 (2006).

*2 (a) K. Yoshimoto, M. Ichino, Y. Nagasaki, *Lab on a Chip*, 9, 1286-1289 (2009). (b) R. Kojima, K. Yoshimoto, H. Miyoshi, Y. Nagasaki, *Lab on a Chip*, 9, 1991-1993 (2009).

*3 Y. Furuhata, Y. Kikuchi, S. Tomita, K. Yoshimoto, *Genes to Cells*, 21 (12), 1380-1386 (2016).

*4 Y. Furuhata, T.Yoshitomi, Y. Kikuchi, M.Sakao, K. Yoshimoto, *ACS Appl. Mater. Interfaces*, 9 (11), 9339-9347 (2017).

*5 S. Tomita, M. Sakao, R. Kurita, O. Niwa, K. Yoshimoto, *Chem. Sci.*, 6(10), 5831-5836 (2015).

*6 (a) S. Ganguli, K. Yoshimoto, S. Tomita, H. Sakuma, T. Matsuoka, K. Shiraki, Y. Nagasaki, *J. Am. Chem*. Soc., 131, 6549 (2009). (b) S. Tomita, L. Ito, H. Yamaguchi, G. Konishi, Y. Nagasaki, K. Shiraki, *Soft Matter*, 6, 5320 (2010). (c) S. Tomita, K. Shiraki, *J. Polym. Sci. Part A: Polym. Chem*., 49, 3835 (2011). (d) T. Kurinomaru, S. Tomita, Y. Hagihara, K. Shiraki, *Langmuir*, 30, 3826 (2014).

*7 (a) S. Tomita, K. Yoshimoto, *Chem. Commun*., 49, 10430-10432 (2013). (b) S. Tomita, T. Soejima, K. Shiraki, K. Yoshimoto, *Analyst*, 139(23), 6100-6103 (2014). (c) S. Tomita, S. Yokoyama, R. Kurita, O. Niwa, K. Yoshimoto, *Anal. Sci*., 32(2), 237 (2016).

プロフィール

吉本敬太郎（よしもと　けいたろう）

1975年生まれ。東北大学工学部卒業、同大学大学院工学研究科修士課程を修了、2004年に東北大学大学院理学研究科において博士（理学）を取得。理化学研究所基礎科学特別研究員、筑波大学講師を経て2010年から東京大学大学院総合文化研究科准教授。2016年から JST さきがけ研究者を兼任。

哺乳類の進化と妊娠
──「胎生」の不思議

松田良一

　私たちは胎児の頃、お母さんのおなかの中で育ってきた。母親の子宮内で胎盤を介して胎児を育む「真胎生」というしくみのおかげだ。一方、私たち哺乳類は発達した免疫系を持ち、自己と非自己の区別がとても厳密である。コロナウイルスなど外来の病原体に感染した場合や他人の臓器移植手術を受けた場合、それら非自己に対しては強い免疫反応（抗体の産生やリンパ球の攻撃による拒絶反応）を起こす。移植手術の成否はこの拒絶反応の制御にある。
　一方、胎児と胎盤は、父親の遺伝子もあるので母親にとっては非自己である。したがって、胎盤は母体から拒絶されてしまい、胎児は死んでしまうはずだ。なぜ母体から拒絶反応が起きず、胎児は成長できるのか？　この「真胎生」がなければ、今の自分も生きていない。今日の哺乳類の繁栄もなかったはずだ。しかし、「真胎生」の仕組みはまだ、よくわかっていない。さあ、哺乳類の「真胎生」の謎に迫ってみよう。

「真胎生」とは

　みなさんは母親と父親とどちらに親しみを感じるだろうか？ 母親は子供が怪我や病気になると自分まで痛むという。父親にはない感覚だ。それは母親が子供を長期間、胎盤を介して栄養と酸素を与え、老廃物と CO_2 を取り除きながら体内で育て、出産という母親にとっても命がけのプロセスを経た後、さらに長期間、母乳を与えて育ててきたからだろう。母子関係は一心同体のようだ。

　それに比べ、胎生でない動物（卵生動物）ではこの母子関係はずっと希薄だ。多くの場合、母親は卵を産みっぱなし。胚（胎児）は母親が卵の中に仕込んでくれたお弁当（卵黄）を糧に成長し、孵化後は自分で食べ物を探し、生きていかねばならない。その間、天敵に対しても無防備で危険だ。そのため卵生動物では受精卵が成体に育つ確率はとても低い。その分、母親は卵を大量に産む。数の子（ニシンの卵巣）やタラの子（タラの卵巣）を見ればわかるだろう。

　しかも発生中の胚は温度変化にも弱い。卵生の動物のほとんどは体温が外気温に依存する変温動物だ。一方、鳥類は卵生だが恒温動物。産卵数も少なく、卵の中で胚が育つ（発生する）間、親は卵を温め、さらに卵を狙う敵から守る。孵化すると親は雛に餌を与えるので、産みっぱなしの卵生動物に比べると恒温動物である鳥類の親子関係は密になる。

　「真胎生」の哺乳類では、胎盤を通じて栄養を補給し、出産後は子供に授乳する。哺乳類の親子関係は鳥類よりもさらに親密である。では、「真胎生」の哺乳類では、鳥類と比べて母親の体内で、いかにして育つのか？　そして「真胎生」の哺乳類はどのように進化してきたのだろう。

「卵生」の鳥類と「真胎生」の哺乳類の子供のでき方の比較

　まず、受精。鳥類も哺乳類も母体内で射精された精子は子宮を通り、輸卵管内を遡上する。精子は卵巣から排卵された成熟卵細胞と輸卵管の開口部付近で出会い、受精が起きる。「卵生」の鳥類は成熟卵細胞に大きな卵黄をもつが、「真胎生」の哺乳類の成熟卵細胞は卵黄を少量しかもっていない。受精した卵細胞（受精卵）は細胞分裂を続けながら輸卵管を下降する。

　卵生の鳥類ではその輸卵管を下降する間に卵白（白身）で覆われ、さらに卵殻膜（ゆで卵の場合、食べる前に剝く白身を包む膜）に包まれる。子宮におりてくると、卵殻膜の表面に炭酸カルシウムの殻が作られ、母体外に産み落とされる。産み出された卵は母親に温められながら発生を続ける。

　その間、胚の成長過程で生じた尿は尿膜囊（のう）という袋に貯まる。尿膜囊の血管は卵殻膜直下に網状に張り巡らされ、それが肺胞の血管と同様に酸素と二酸化炭素のガス交換を行う（図１、『16歳からの東大冒険講座』培風館、第一巻、2005年参照）。

　「真胎生」の哺乳類の場合、卵には母親からもらった栄養物（卵黄）はごくわずか。外部からの栄養補給が少なければ、胚の発生はすぐに頓挫する。このような体制の受精卵は輸卵管をおりながら細胞分裂を続け、子宮に到達する。胚には卵殻は形成されず、「胚盤胞」となって子宮表面に潜り込み「着床」する。ここで胚盤胞は将来、胎児になる「内部細胞塊」と将来、胎盤などの胚以外の組織を作る「栄養膜細胞」というふたつの細胞集団に分かれる。

　この「栄養膜細胞」から尿膜囊ができる。この尿膜囊が将来、胎盤になる。つまり、鳥類では胚の尿を貯め、呼吸機能を支える

尿膜嚢が、哺乳類では胎盤の血管系となり、母親から酸素と栄養を、母親には老廃物やCO_2を託す。

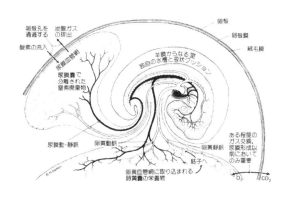

図1　若いニワトリ胚子の主要な血液循環路の配置図。生物学的代謝に重要な胚子外ガス交換の行われるいくつかの部位が標示によって記されている。胚子内の血管は栄養分と酸素を成長を続ける組織へ運び、代謝による老廃物を除去する（Patten, 1951, *the Am. Scientist*, Vol.39 より）。

　母体も子宮の胚着床部位に血管を発達させる。子宮表面（粘膜という）側の血管が母体の血液プールを作り、その血液プールに胚側の血管（絨毛膜絨毛という）が、まるで水耕栽培したヒヤシンスの根のごとく漬かりながら分岐、発達し、胎児は母体の血液内の酸素や栄養を吸収する。それと同時に胚・胎児の血液内の老廃物やCO_2は母体の血液内に吸収される。

　図2は胎盤の発達過程を模式化したものである（パッテン『発生学』第5版、西村書店、1990年）。

　妊娠時期が進むにつれ、胎児の絨毛血管網は細く細かく発達

し、物質交換を効率化する。この複雑な胎盤こそは「真胎生」の主役といえる。

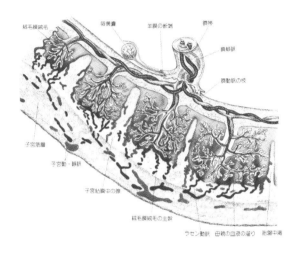

図2 胎盤形成期の胎児と母胎組織の相互関係を示す模式図。図の左側から右側に向かって、絨毛膜絨毛がだんだんと発達する様子を示す。

「真胎生」の歴史

　「真胎生」は「卵生」の動物から進化してできた。では、その過程はどのくらいわかっているのだろうか？　今から2億年前、大陸はひとつの巨大なゴンドワナ大陸であった。その巨大大陸では爬虫類とくに大型爬虫類（恐竜）が我が世を謳歌している世界だった。

　恐竜たちの陰に隠れて、主に夜間、「真胎生」に至る前段階の

「卵生」の哺乳類（現生の「単孔類」カモノハシやハリモグラなど）や「有袋類」の哺乳類（現生のカンガルーやワラビー、オポッサムなど）、それに続いて「真胎生」の哺乳類が現れた。

その後、ゴンドワナ大陸はいくつかのプレートに分裂し、移動を始めた。それぞれのプレート上で「真胎生」の哺乳類はオポッサムを除くと有袋類をほとんど駆逐したと考えられている。しかし、オーストラリア大陸のプレートは「真胎生」の哺乳類が来る前に分かれたため、「真胎生」の哺乳類は生息しておらず、今も「単孔類」や「有袋類」の哺乳類が繁栄している。

なぜ母体から排除されないのか？ ──メダワーの仮説

では、非自己である胎児側の絨毛血管がなぜ母体の免疫系から異物として認識され、拒絶されないのか？　この疑問を最初に表明したのはイギリス人免疫学者のメダワー（Peter B. Medawar. 1915-1987）だ。彼は移植免疫学が専門の動物学者。彼は拒絶する組み合わせ（C57BL系統とA2G系統）のマウスを用いて皮膚の移植実験を行っていた。

その際、A2G系統のリンパ球などを生後直後のC57BL系統の新生児マウスに注射し、その個体が成体（3月齢）になってから、再びA2G系統の皮膚を移植すると、移植された皮膚は拒絶されず、一生、A2G系統の皮膚は生着（拒絶されずに移植されたまま生存し続ける）することを発見した。

これは「免疫学的寛容の誘導」として高く評価され、1961年のノーベル生理学・医学賞を受賞した。メダワーは本来、皮膚移植

をすると拒絶するマウス同士を交配しても母体内での胎盤や胎児の拒絶は起きず、$C_{57}BL$ と A_2G の混血児が元気に生まれてくる事実から、着床・妊娠のプロセスは通常の免疫学では説明できない拒絶反応を回避するシステムが存在していると示唆し、1953年、妊娠に関する3つの仮説を提唱した。

1　母体と胎児は胎盤によって解剖学的に隔てられ、母体の免疫応答が胎児に及ばない。

2　胎児組織の抗原性が未熟で、母体の免疫応答が起こらない。

3　妊娠中の母体に生理学的変化が起こり、胎盤や胎児に対する非自己認識や免疫応答が抑制され、見かけ上の免疫学的寛容が生じている。

　これら3つの仮説に関する現在の知見をまとめてみよう。

仮説を検証する

　まず仮説1から考えてみよう。

フィブリン層の働き　胎児側の絨毛血管の外壁（常に母体側の血流に触れている部位）には血液凝固の際にできるフィブリンの沈着層があり、母体の血液は絨毛血管の外壁とフィブリン層で隔てられている。

　一方、無フィブリノーゲン血症（血が凝固しない血友病の一種）の女性は流産を繰り返す。幸いにも無フィブリノーゲン血症の女性にフィブリノーゲンを投与し、血友病を治療すれば、流産を防止できるようになる。このフィブリンの沈着層が母体による胎児・胎盤に対する異物認識への障壁になっている可能性がある。

父系の組織で免疫した母親から生まれたマウスの胎盤の大きさ

皮膚移植をすると拒絶する（組織適合性抗原が異なる）組み合わせの
A_2G系のオスマウスと$C_{57}BL$系のメスマウスを交配（異系交配）す
ると、その胎盤の大きさは、同一系統のオス・メス同士を交配
（同系交配）させた場合より大きくなる（表1）。

　一方、あらかじめ$C_{57}BL$系のメスマウスにオスマウス（A_2G系）
のリンパ球を注射して父方の組織抗原に感作（ワクチンのように免
疫学的に刺激）し、A_2G系の組織に対して免疫学的拒絶能を強くし
た$C_{57}BL$系のメスマウスと交配すると、感作しなかった場合（対
照）より、さらに胎盤が大きくなる。

母親の系統	母親×父親	母親数	全産仔数	平均産仔数	胎盤平均重量 ±標準偏差(mg)
C_{57}	C_{57} × C_{57}	20	131	6.55	83.6 ± 0.79
C_{57}	C_{57} × A_2G	20	148	7.40	105.7 ± 0.84
A_2G	A_2G × A_2G	20	99	4.95	110.0 ± 1.37
A_2G	A_2G × C_{57}	20	96	4.80	125.0 ± 2.46

表1　Billington (1964) *Nature*, 202:317

母親の系統	母親×父親	母親数	全産仔数	平均産仔数	胎盤平均重量 ±標準偏差(mg)
免疫学的寛容	$C_{57}BL$ × A_2G	8	65	8.13	83.4 ± 0.83
免疫感作	$C_{57}BL$ × A_2G	9	69	7.67	111.5 ± 1.24
対照	$C_{57}BL$ × A_2G	11	85	7.73	98.4 ± 0.76
対照	$C_{57}BL$ × $C_{57}BL$	7	64	9.14	83.5 ± 0.78

表2　James (1965) *Nature*, 205:613

さらに、あらかじめ$C_{57}BL$系のメスマウスにA_2G系のオスマウスの組織に対する免疫学的寛容を誘導してからA_2G系のオスと交配させると胎盤の大きさが小さくなることが報告されている。したがって、この実験から胎盤の大きさは母体に対する非自己性と相関し、胎盤が免疫学的障壁の機能をもつ可能性を示唆している（表2）。

　それでは、仮説2はどうだろうか。これは、胎児や胎盤の組織も抗原性があることが示されているので、この説は否定される。

　続いて仮説3について考えてみよう。

胎盤から分泌される母親の移植免疫抑制因子　成体のマウスでは異系の皮膚移植片を攻撃する抗体産生やキラーT細胞の発動は、制御性Tリンパ球により抑制的に制御されている。妊娠中の母体でこの制御性T細胞の活性化は胚胞の着床時から認められることから、母体の胎盤に対する異物（非自己）拒絶能力は著しく抑制されているものと考えられる。その免疫抑制を誘導する因子が胎児由来の絨毛細胞から分泌されているらしい。　この胎盤に対する免疫抑制説は現在、最も有力な説とされている（Betz (2012) *Nature*, 490:47）。

「真胎生」のメリット

　こんなに母体に負担をかける「胎生」にはどんなメリットがあるのだろうか？

外界の温度変化に対する防御　発生中の胚は温度変化に弱い。外界の温度が急激に変化すると「卵生」の胚は死んでしまう。「真胎

生」の胚は母体内にあり、外界の温度変化に対して母体の体温で守られているため、成長を維持できる。

　みなさんは今から約6500万年前、巨大隕石がメキシコのユカタン半島近海に落下し、地球上で多くの生物が死滅したことを聞いたことがあるだろう。

　隕石の地上への衝突による衝撃と大火災のため、地表や海面から多くのものが大気中に放出され、地球の大気は太陽光線の透過度が著しく減少し、急激な寒冷化が起きた。そのため、全地球規模で植物は枯れ、多くの変温動物は餓死、あるいは凍え死に、地上から大型爬虫類（恐竜など）の姿は消えた。これは化石調査から明らかになっている事実だ。

　一方、哺乳類の起源は2億数千万年前といわれ、ゴンドワナ大陸の上で恐竜などの大型爬虫類が繁栄していた間、ネズミ程度の大きさの哺乳類として爬虫類に襲われながらも、かろうじて生きていた。その間に内温性という体内部で体温を発生する機能を獲得して恒温動物になり、単孔類や有袋類、続いて「真胎生」の哺乳類が現れたと考えられている。「真胎生」の場合、発生中の胎児は母体内にいて温度が一定、外敵に襲われない。しかも、バランスの取れた栄養物が母体から供給される。

　巨大隕石の落下により大きく環境が変化し、多くの変温動物や大型爬虫類は死滅した。しかし、「真胎生」のおかげで寒冷化に強い有胎盤哺乳類が生き残り、子孫を増やし、多様な種が出現し、現在の「真胎生」哺乳類の繁栄をもたらしたのだ。「真胎生」が哺乳類の生き残りと繁栄の鍵だったのだ。

年齢の異なる個体同士の並体接合の可能性　「真胎生」は「卵生」に比べ、母親に大きな負担を強いている。その母親に直接メリッ

トをもたらしている証拠はないだろうか？　ここで、並体接合（パラビオーシス）という手法を使った老化抑制の研究例を紹介しよう。

カリフォルニア大学のConboyら（2005年）は同系統の2、3カ月月齢の若いマウスと19-26カ月齢の老齢マウスのペアを麻酔下に並べ、2匹が接している面（胸から腹にかけての皮膚）をメスで切開し、2匹がくっつくように肩と腰骨の部分をピアノ線でつないだ後、切開した皮膚を縫合する実験（年齢の異なる個体同士の並体接合（Heterochronic Parabiosis）という）を行った（図3上）。

この2匹のマウスは接合後も長期間生かすため、あらかじめ仲の良いペアを選択して手術を行った。この2匹のマウスは体液を共有している。この状態で5週間、飼育してから筋肉の再生速度を調べた。筋肉の再生はピンポイントで小さく壊す試薬を少量、筋組織内に注射し、その数日後、胎児型ミオシンに対する抗体で反応する筋ファイバー数（図3下、赤いファイバー）を測定した。筋肉は再生する過程で胎児型ミオシンを作ることが、私を含む多くの研究者の論文からすでに知られている。この抗体に反応する筋ファイバー数が増加すれば、再生が活発であることを示す。逆に胎児型ミオシンを発現する筋ファイバー数が少ないと筋再生能が低下していることを示す。

あらかじめ対照実験を行い、a) 老齢マウスの筋再生は若いマウスに比べ、有意に低いこと。b) 老齢マウス同士を接合させても、再生ファイバーの出現率は未手術の老齢マウスと変わらず、若者に比べ低下している。c) 逆に若者マウスは1匹のままでも2匹を接合させても、筋再生能は変わらず、老齢マウスのそれより有意に高かった。つまり、筋再生能自体は接合手術の有無にかかわら

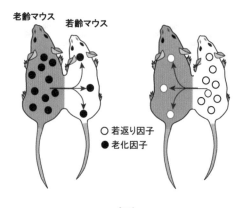

老齢マウス　若齢マウス

○ 若返り因子
● 老化因子

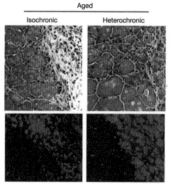

Aged

Isochronic　Heterochronic

若いマウスと接合すると
再生ファイバー（赤色）が増えた

図3　老齢マウスと若者マウスの並体接合

ず、一定だった。

　では、老齢マウスに若者マウスを並体接合させた場合はどうだろう。驚いたことに若いマウスと接合した老齢マウスの筋再生能は老齢マウスのそれより高くなっていた！　つまり、若いマウスから何らかの若返り因子が移行し、老齢マウスは若返った（この場合、筋の再生率が上昇した）のだ（図3下）。

　この実験から若者マウスの体液の中には老齢マウスの若返りを促進する因子があることが示唆され、以後、若返り因子の研究が盛んに行われている（Conboy ら（2005）*Nature*,433：760）。逆に老齢マウスからは老化促進因子も見つかっている。現在、この老化に関する研究も盛んに行われている。将来、ヒトの寿命を長くできる薬が見つかるかもしれない。

　ここで、異年齢個体のパラビオーシスと妊娠の類似性に気付いてほしい。「真胎生」では、前述の実験で示した胎児と母親という年齢の異なる個体同士の並体接合が起きている。母親マウスが妊娠すると胎児から若返り因子（抗加齢因子）が母親の体内に入り、母親が若返る・より元気になる可能性がある。

　Conboyの実験はマウスを使っているが、ヒトでも同様なことは起きないか？　なんと、文献を調べてみると高齢出産をした母親は長生きすることを示す論文がいくつも出てきた（Ferraz & Matias（2017）*J. of Perinatal Medicine online*、Jaffeら（2015）*Ann. of Epidemiology*, 25:387、Müllerら（2002）*J. of Gerontology*, 57A, B202など多数）。これが、命がけで子供を育てた母親へのご褒美かもしれない。

ミクロキメリズムの可能性　他にも「胎生」の母親へのメリットは
ないか？　文献を調べてみると胎児の細胞が母親の体内に入り込
み、長い間、定着している可能性を示す論文が産婦人科領域でい
くつも見つかった。男子の性染色体はX染色体とY染色体。女子
の性染色体はX染色体が2本である。したがってY染色体は男子
由来細胞のマーカーになる。

　Bianchiら（1996）は、以前に男児を出産したことがある8名の女
性から造血細胞を分離し、そのうちの6名からの造血細胞に胎児
由来と考えられるY染色体をもつ細胞を検出した（*PNAS* 93:705 ）。
最長は出産後、27年間も経た母親の体内で息子由来の細胞が生き
続けていた例が示されている！

　これは胎児由来の細胞が母親の体内に長期間定着しうること
を示している。これを産婦人科領域では胎児性ミクロキメリズム
(Fetal Microchimerism) と呼んでいる。この母親の体内に定着した
胎児由来細胞が母親にどんな影響を与えているのか？　母親の甲
状腺や肝臓の組織損傷において、その修復に胎児由来細胞が寄与
したという複数の報告がある（Srivatsaら（2001）*Lancet*358：2034、お
よびWangら（2004）*BBRC* 325: 961）。これが先に述べた高齢出産した
母親の生存力を高めている本態かもしれない 。

　しかしその一方、ミクロキメリズムで母体に生き残った胎児由
来細胞が母親の体内で自己免疫病の原因になった例もあるので、
話は単純でない。現在、産婦人科領域では胎児由来の有核赤血球
が妊婦の末梢血中に妊娠期間中に流れていることを利用して、危
険性が伴う羊水穿刺による胎児由来細胞の遺伝診断を代替する方
法が一般的になってきている。これも胎児由来細胞が母体内に入
ってくる明白な例である。胎児性ミクロキメリズムの本態はまだ

わかっていない。まさに母子は一心同体であることは確かだ。

　母体に胎盤を排除させない巧妙な仕組み「真胎生」は、今から
およそ6500万年前に起きた巨大隕石の落下による地球生物絶滅
の危機から我々を救った「ありがたい仕組み」である。「真胎生」
はかくも壮大で興味深い仕組みであるにもかかわらず、その意義
や機能はまだ十分に理解されていない。みなさんに、ぜひ、この
先を研究していただき、私たち哺乳類の繁栄の本質を探っていた
だきたいと思う。

プロフィール

　松田良一（まつだ りょういち）

　東京都立大学理学部卒業。千葉大学大学院修士課程修了。東京都
　立大学大学院博士課程中退。1982年、理学博士。カリフォルニ
　ア大学バークレー校研究員、東京都立大学理学部助手、W. Alton
　Jones Cell Science Center, Senior Scientist、東京大学教養学
　部教授を経て、現在は東京理科大学大学院理学研究科教授、東京
　大学名誉教授、国際生物学オリンピック議長。

からだのつくり方とその利用法

道上達男

....

からだのつくり方に疑問をもつ——研究者を目指すきっかけ

　この本は東京大学教養学部で開催されている「高校生と大学生のための金曜特別講座」と関連して出版されるものであり、高校生や大学生の読者も多いと思う。そこで内容に入る前に、（自分自身のことで恐縮だが）発生生物学の研究者を目指すきっかけについて少しだけ紹介をしたいと思う。

　いつそのようなことを考えたかというと、自分の場合は高校生だった（決して出版意図に合わせているわけではなく、実際にそうである）。高校の教科書（当時の生物Ⅰ）に出てくる卵の発生の図を見ながら、ふと「単なるボールみたいな物体がよくこんな複雑な動きをするよな」と思った。実際、自分がボールを手に取ったとして、それの一部をへこませたり変形させたり、そもそも卵を区画に分けることすら、超能力者じゃないとできそうにない。それを確実にやってのける発生の仕組みを知ることはとても興味深いように思えた。

　もうひとつはとある生物系の新書本を読んだとき、当時はようやくDNAの塩基配列を解析する手法が確立しつつあるころであるが、生命現象は分子レベルでまだまだ不明なことが多いことが

書かれているのを見て、もしそうなのであれば、自分自身がそういった現象の解明の一端に関われるかもしれないし、できれば実際に関わりたいと感じた。これらふたつの理由が、生命系の研究者になりたいと思ったきっかけだったように思う。

からだのつくり方を知る―― 発生生物学

さて、私たちのからだはたったひとつの細胞である卵からつくり出される。卵の形はとても単純であるが、できあがったからだは、外面上だけでなくその中身も非常に複雑な構造をしている。それだけではない。そのような複雑なからだをつくり上げるため、卵は誰かに手伝ってもらうのではなく自らの力で形を変えていく。それができるのはなぜだろうか？　この疑問を解き明かすために研究する学問が発生生物学である。発生生物学は、古くは紀元前4世紀にスタートした。アリストテレスは、様々な生物の詳細な観察結果を動物誌や動物発生論などに著しているが、その詳細さは同じ時期の日本がようやく農耕を始めたという文化レ

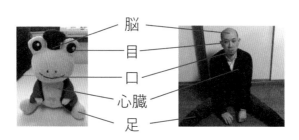

図1　カエルとヒトの共通点。
特徴が同じならばつくり方も同じと考えられる

ベルから考えると驚嘆に値する。再度発生生物学が勃興するのは20世紀に入ってからで、特に1980年以降の顕著な研究の進展により、卵が形をつくり出すための分子メカニズムが次々と明らかになっていった。

　さて、ヒトのからだが卵からできあがる仕組みを知るため、実際にはどのように研究するのだろうか。発生生物学は、もちろん生物の成り立ちを知る学問ではあるが、ヒトの仕組みを知る目的としても、様々な動物を用いた研究が行われる。特に、胚発生における共通の仕組みを知るための研究は、いくつかの代表的な生物を集中的に扱うことによって、研究進展の効率化を図る（このような生物をモデル生物とよぶ）。ツメガエルも、そのようなモデル生物のひとつである。ただ、当たり前だが、カエルとヒトは違う。しかし、あえてここでカエルとヒトの共通点は何かを考えてみると、目や口がある、足がある……。このようなものはすべて、カエルもヒトも持っている共通の特徴である（図1）。

　収斂進化[*1]の場合もあるが、共通の特徴を持つということは、それらをつくり出す仕組みも共通であると考えることができる。つまり、目がつくり出される仕組みはカエルもヒトも同じである、ということである。そして、その仕組みを知るため、モデル生物を用いた研究を行う方が倫理的な観点と効率の問題から適している。もちろん、高度な脳機能の研究にカエルが向いているかというと必ずしもそうではない。要は適材適所、というわけである。

　では、生物のからだはどのようにしてできあがるのだろう。卵は卵割によって細胞の数を増やしていくが、それと同時、あるいは受精前から、からだの形をつくり上げるための基本的な情報が卵に与えられている。そのひとつは、卵の「向き」である。卵の

どちらが頭側でどちらが尾側か、どちらが腹側でどちらが背側か、といったものである。その基本情報をもとに、どの部分に脳をつくり、どの部分に目をつくり、さらには心臓などの臓器をどのような形にするか……といったように徐々に細かいつくり込みが行われ、最後にはからだが完成する。では、このような情報（位置情報とよぶ）はどのように指定されるか。これは、主にいくつかの遺伝子が役目を果たしている。

　ここで、遺伝子について簡単に説明する。遺伝子はタンパク質の設計図で、ヒトは遺伝子を約2万種類持っている。この中には、筋肉を構成するアクチンやミオシン、赤血球の構成成分であるヘモグロビンなど、からだの様々な構成成分となるタンパク質の設計図となる遺伝子もたくさんあるが、体内物質をつくり出すためのいわば「道具」となるタンパク質（例えば酵素）の設計図となる遺伝子もある。こういった遺伝子は絶えずタンパク質をつくり出しているかというとそうではなく、必要なときにだけつくり出す。つまり、遺伝子にはスイッチがあり、そのスイッチがオンになると、設計図に従ってタンパク質がつくり出される。面白いのは、こういった遺伝子のスイッチをオンにするタンパク質の設計

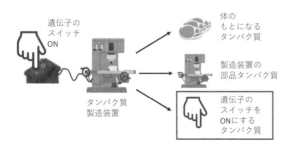

遺伝子の
スイッチ
ON

タンパク質
製造装置

体の
もとになる
タンパク質

製造装置の
部品タンパク質

遺伝子の
スイッチを
ONにする
タンパク質

図2　遺伝子はいろいろなタンパク質の設計図となる

図となる遺伝子、つまり「スイッチ遺伝子」もある（図2）。実は、からだの形をつくる情報を担うのは、このようなスイッチ遺伝子である。スイッチ遺伝子は複数あるうえ、ひとつのスイッチ遺伝子が複数の遺伝子を同時にオンにすることもできる。からだの構造の複雑さを生み出す仕組みは、このようなスイッチ遺伝子の複雑な制御関係、もう少し簡単に言うと、こういった遺伝子の働きの組み合わせによって実現している。遺伝子10個がひとつだけ働いて指令を与えるとすると、その組み合わせはせいぜい10通りしかない。しかし、ふたつの遺伝子が協調して働くとすると、その組み合わせは $_{10}C_2 = 45$ 通り、3つだと $_{10}C_3 = 120$ 通り……とどんどん組み合わせは増える。このように、からだの複雑さをつくり出すもとになっているのは、遺伝子の（制御関係の）組み合わせである（図3）。こうして改めて卵の発生を見てみると、よくこのような難しい形づくりを間違えることもなくできるなと感心するが、そのような感覚を卵の発生に感じてほしいと思う。

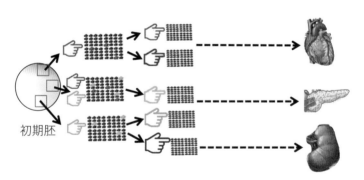

図3　初期胚では、場所に応じて働く遺伝子の「組み合わせ」を変える。
それが繰り返されることで臓器、そして複雑なからだがつくり出される

からだのつくり方を利用する—幹細胞生物学と再生医療

　生物学は、社会のどのような役に立つのだろうか。例えば、病気の治療や新しい薬を開発するうえで、生物学の知見は必須である。また、農業や畜産業において、よりよい品種を生み出すためにも生物学の知識が重要となる。さらには環境の分野についてもそうである。もし二酸化炭素をたくさん消費して酸素をたくさん排出する植物や微生物を自然界から見つけ出すことができればそのような生物そのものが役に立つし、そういった生物の仕組みを知ることで、もしかすると二酸化炭素濃度の減少につながる新しい技術を開発することができるかもしれない。

　発生生物学の知識をどう生かすかについては、医療や創薬への応用が一番わかりやすいだろう。私たちは病気になったとき、どのように治療するだろう。方法のひとつは薬を飲む、あるいは投与することである。もし薬で治療することが難しいとき、私たちは手術によって病巣を取り除いたり悪い部位を修復する。ただ、

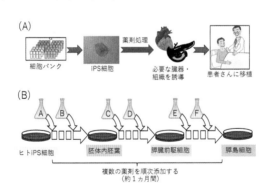

図4　(A)iPS細胞を使った再生医療の流れ。
(B)iPS細胞からの分化誘導。ここでは膵島の分化を例に示す。

臓器が機能しなくなってしまった場合、除去や修復による治療は難しく、移植による「置きかえ」が必要となる。一般的な移植治療では臓器提供者（ドナー）から臓器を摘出し患者（レシピエント）に移植する方法がとられるが、ドナーの数は圧倒的に不足している。そこで、後述する「幹細胞」から臓器を新たに試験管内でつくり出し移植するという再生医療が注目を集めている。

　私たちのからだは細胞からできている。ヒトは約60兆個[*2]の細胞から構成されていて、その種類も200種類以上あると言われている。当たり前ではあるが、これらはすべて卵、つまりひとつの細胞からできあがっている。逆に、卵はどんな種類の細胞でもない、いわば中立の細胞であり、ここから発生を経て様々な機能を持つ細胞に変化していく。これを「細胞分化（あるいは単に分化）」という。卵ではないが卵に似た性質、つまり何にもなっていない細胞があり、それを幹細胞という。幹細胞には種類があって、発生初期の胚の一部の細胞からつくられた胚性幹細胞（ES細胞）、成体に含まれる幹細胞（組織幹細胞）に加え、京大の山中伸弥教授によって誘導法が発見された幹細胞が人工多能性幹細胞（iPS細胞）であり、再生医療への応用が大きく期待されている。iPS細胞はわかりやすく言うと、皮膚[*3]からつくり出した幹細胞（＝何にもなっていない細胞）である。そのため細胞のiPS化は「初期化」ともいう。いわば細胞の若返りである。ただ、単に若返っただけだと全く治療には使えない。iPS細胞は多能性を有しており、筋肉、神経、皮膚……ありとあらゆる細胞に「化け」させる（＝細胞分化させる）ことが可能である。そこで、皮膚からiPS細胞へと初期化し（「iPS細胞を樹立する」という）、次いで望む種類の細胞に改めて分化させ、医療応用に使うというのが一連の流れである。ただ、現

在は移植しても大丈夫な免疫の型を持つiPS細胞をあらかじめバンクに保存しておき、臨床応用するというのが流れである（図4（A））。

さて、この「化けさせる」＝分化させる方法はどのようにして確立するのだろうか。基本的には、培養しているiPS細胞に様々な薬剤を順次投与していくことによって、望む種類の細胞に分化させる。我々の研究室ではインスリンを産生する細胞への分化誘導系を研究しているが、図4（B）に示すように、約1カ月にわたって複数の異なる薬剤を順次加え続け、ようやく分化が終了する。どのような種類の薬剤を、どのくらいの濃度で、いつ、どれだけの期間加えるかを検討することが、より良い細胞へと分化させるために重要である。

さて、このような分化誘導についての研究を行うとき、世の中に存在するありとあらゆる薬をやみくもに反応させて効果を検証するのではあまりにも効率が悪すぎる。iPS細胞からの分化系を構築するうえでは、発生生物学から得られた知見が多用される。例えば胚から心臓ができる過程では、既に述べたように様々な遺伝子の組み合わせが働き、さらには働く遺伝子の組み合わせが時々刻々と変わっていく。このような遺伝子について、研究によって明らかになった仕組みの通り順序よく活性化させていけるような薬剤をiPS細胞に対して反応させる、という方法がとられるわけである。

それぞれの細胞への分化誘導法については現在国内外の多くの研究者が研究を進めているが、まだまだ改良の余地があることも事実である。例えば、分化の効率そのものも完全ではなく、新たな添加試薬をさらに模索していくことで改善が望まれる。ま

た、分化に用いる試薬は非常に高価であるため、確立した方法を
そのままスケールアップして治療に用いようとすると、莫大な費
用がかかる。そのため、分化方法の低コスト化も大きな課題であ
る。私たちの研究室で行っているインスリン産生細胞を誘導する
方法の研究では、分化誘導をより安価で行えるように、なるべく
少ない種類の薬剤を使い、かつ良好な誘導効率で分化できる方法
の確立を目指している。このような研究は、実際の糖尿病治療に
有用となる。現在はインスリンなどの注射による治療が主流であ
るが、日々欠かさず行うことは大変であるうえ、血糖値コントロー
ルが実は難しい（例えば、血糖値が下がりすぎる等）といった問題
点もある。もちろん移植は手術で侵襲性が高いが、一度移植治療
を行えばインスリン療法が（少なくとも数年は）必要なくなったり、
血糖値コントロールがより容易になる。このような研究は、成果
を目に見える形で応用することができるひとつの例である。

　iPS細胞からの分化について、現在は立体構造を持つ組織をつ
くり出す様々な研究が進んでいる。しかし、例えば心臓は心室と
心房があり、弁があって動脈と静脈に連結した、複雑な構造をと
っている。これをiPS細胞から完全な形でつくり出すことは、現
在の技術ではまだまだ難しい。できたとしても、心臓の形にまで
はなっていない状態で個体に移植し、そのからだのなかで心臓の
形をつくる、つまりからだの助けを借りてようやくつくり出せる
可能性がある、といった状況である。なぜ難しいか。これは、臓
器の形をつくるうえでの位置情報を人工的につくり出すのが難し
いからである。それを人間の手でコントロールできるようになれ
ば、細胞から臓器をつくり出すことが可能になるだろう。

　最後に、再生医療の行き着く先は、個体そのものを胚からでは

なく細胞からつくり出すことかもしれない。胚発生の仕組みを知ることで、胚を使わず個体をつくり出すというのは一見矛盾しているし、何より臓器レベルの構築すら難しい現状ではかなりハードルが高そうである。しかし、それが実現できるかどうかは、やはり仕組みの完全な解明だろう。人工的に行うことがこれほど難しいものを、卵はたやすく（？）やってのけていることに不思議さを感じずにはいられない。また、そこが面白いところでもある。

註
* 1 複数の生物種が、独立に進化を遂げているにもかかわらず類似した形質を獲得すること。
* 2 最近では37兆個であるという意見が主流となりつつある。
* 3 最初の誘導はヒトの繊維芽細胞から行われたが、今は血液など他の細胞からもiPS細胞を樹立することができる。

プロフィール

道上達男（みちうえ　たつお）
1967年生まれ。東京大学理学部生物化学科卒、同専攻修了。博士（理学）。同助手、科学技術振興機構研究員、東京大学大学院総合文化研究科助手、産業技術総合研究所主任研究員、東京大学大学院総合文化研究科准教授を経て、2015年より同教授。

読書案内

▶ 道上達男ほか監修・訳『キャンベル生物学』（原書第11版）丸善出版、2018年

　▷ 生物学の教科書の定番。

▶ 中村桂子ほか監訳『細胞の分子生物学』（第6版）ニュートンプレス、2017年

  ▷ 同じく生物学の教科書として。

▶ 武田洋幸、田村宏治監訳『ウォルパート発生生物学』メディカル・サイエンス・インターナショナル、2012年

  ▷ 発生生物学の定番です。

あとがき

　本書は、東京大学教養学部主催・生産技術研究所共催の「高校生と大学生のための金曜特別講座」において、主に2017 ～ 2019年度にご登壇いただいた先生方に、講義内容を寄稿していただいたものである。この講座は2002年の開始以来、すでに400回以上開講しており、毎回、東京大学の教員が高校生や大学生に向けて、また社会人へのリカレント教育として自らの専門分野の面白さをわかりやすく伝え、将来に向けた展望を描き、60分間の熱い講義を行っている。さらになぜ自分はこの道を選んだのか、自分はどんな高校生・大学生だったのかについても話す。インターネットを介したテレビ会議システムにより、この講義の様子を全国の50以上の高校にもリアルタイムで配信しているため、講義後30分間の質疑応答では、来場者のみでなく、全国の高校生たちからも鋭い質問がたくさん届く。大学や大学院で日頃どのような学問や研究が行われているのかをかいまみることは、高校生や大学生が将来を思い描くうえで大いに参考となるだろう。特に、進路選択に思い悩む若者たちは、ぜひ金曜講座に参加してほしい。

　高校生たちは多くの場合、自分の専門分野を大学受験までに決めなければならない。しかし、高校までの基礎教育と、大学からの専門教育のあいだに本来存在するべき「進路選択のための教育」は、十分といえるだろうか。若者が自分に合った専門分野を見つけ出すためには、「進路選択のための教育」をさらに充実させる必要があるだろう。

　東京大学には独自の進学選択システムがある。新入生たちは全員、駒場キャンパスにある教養学部で最初の2年間を過ごし、文系から理系までの幅広い学問に触れてじっくりと自分の進路を見極めた後、大学3年から各学部・学科に進学して、専門教育を受けることになる。文系科類で入学した学生が理系学科に進学することや、その逆も珍しくはない。これは大学入学時点での進路選択の難しさを物語っているだろう。

１，２年生向けの授業をしていると、教員は学生たちから、進路についての相談を受けることも多い。将来への希望に満ちた、澄んだ瞳の学生たちが、自らの選択に自信をもって専門教育を受けられるように、教員は自分の専門分野の魅力や、自分がどのようにして進路を選んだのかを親身に語る。そのような教員たちだからこそ、進路選択に悩む高校生たちにも伝えたいことがある。若者たちが自分の夢や生きがいを見つけるための手助けをしたいと、心から思う。

　今後も金曜講座では、高校生と大学生の進路選択の参考となるような講義を続けていく。スケジュール等は講座のウェブサイトでご確認いただきたい。全国の高校へのインターネット配信も随時受け付けている。このような遠隔教育は、仮想空間と現実空間が高度に融合したSociety 5.0の時代において、ますます重要となるだろう。

　金曜講座の運営は、ご登壇いただいた先生方をはじめ、教養学部社会連携委員会、鳥井寿夫准教授、細野正人特任助教、林勇樹助教、受田宏之教授、永井久美子准教授、ティーチング・アシスタントの学生たち、そのほか大勢の事務職員の皆様の献身的なご協力によって実現しました。また、ニッセイ・ウェルス生命保険株式会社、日本マイクロソフト株式会社、一般社団法人東大駒場友の会にもご協力いただきました。厚く御礼を申し上げます。最後に、金曜講座に毎回お越しになり、本書の刊行にご尽力いただいた白水社の西川恭兵氏、栗本麻央氏、竹園公一朗氏、小林圭司氏には大変お世話になりました。深く感謝申し上げます。

2020年3月　新井宗仁

　ネット配信は随時受け付けておりますので、ご希望の高校や教育委員会があれば、金曜特別講座事務局までメールにてご連絡ください。講座プログラムは以下ＵＲＬでご覧いただけます。
high-school@komex.c.u-tokyo.ac.jp（金曜特別講座事務局）
http://high-school.c.u-tokyo.ac.jp

知のフィールドガイド

生命の根源を見つめる

2020年4月15日　印刷
2020年5月10日　発行

編　者 © 東京大学教養学部
発行者　　　及　川　直　志
装幀・本文レイアウト　　北　田　雄　一　郎
組　版　　島津デザイン事務所
印刷・製本　　図書印刷株式会社

発行所

101-0052東京都千代田区神田小川町3の24
電話 03-3291-7811（営業部）, 7821（編集部）　　株式会社白水社
www.hakusuisha.co.jp
乱丁・落丁本は、送料小社負担にてお取り替えいたします。

振替 00190-5-33228　　　　　Printed in Japan

ISBN978-4-560-09757-1

知のフィールドガイド

東京大学教養学部　編

東京大学教養学部の人気公開講座を書籍化。
最先端の講義から、いま必要な知の領域を考える
シリーズ。

科学の最前線を歩く

ニュートリノの小さい質量の発見（梶田隆章）／時間と
は何だろう—ゾウの時間ネズミの時間（本川達雄）／死
後の生物学（松田良一）／歴史の謎を DNA で解きほぐ
す（石浦章一）／宇宙で電気をつくる（佐々木進）／飛
行機はどうして飛べるのか（鈴木真二）／美肌の力学（吉
川暢宏）ほか。カラー図版多数。

◆◆◆◆◆◆◆◆

異なる声に耳を澄ませる

原発の最終廃棄物と日本社会（定松淳）／鏡としての人
工知能（江間有沙）／正義を実験する——実験政治哲学
入門（井上彰）／グローバル化時代の中華世界：多様と
流動のエチカ（石井剛）／言葉の力と科学の力——『フ
ランケンシュタイン』二百周年に考えること（アルヴィ
宮本なほ子）／教科書の「若紫」（田村隆）／かわいらし
ければよいのか　十八世紀フランスから（森元庸介）／
「作者の死」の歴史性（郷原佳以）ほか。